L'AMERIQUE
MERIDIONALE
Divisée en Ses Principales
Parties.

PRESENTÉ A MONSEIGNEUR
LE DUC DE BOURGOGNE
Par Son Trés humble et trés Obeïssant
Serviteur
H. IAILLOT

Eschelle

A PARIS 1694

Este libro es nuestro homenaje a un país maravilloso y una invitación
a descubrir su belleza, su potencial económico y humano,
a quererlo y tener fe en su futuro.

ALDO y LUIS SESSA

I.S.B.N.: 950-9140-27-9
Publicado en la Argentina en 1990 por
Sessa Editores.
Cosmogonías S.A., Corrientes 880, 8º piso
Buenos Aires, Argentina.
Coedición realizada por Cosmogonías S. A.
Buenos Aires, República Argentina y
Lisl Steiner, Artist Photo Journal, Estados Unidos de América.
Queda hecho el depósito que dispone la ley Nº 11.723.
© Fotografías 1990, Aldo Sessa.
Impreso en Singapur.
Reservados todos los derechos.

ARGENTINA

Una aventura fotográfica

Fotografías de Aldo Sessa

Textos de la profesora Elsa Insogna

Ediciones Cosmogonías
Buenos Aires

ARGENTINA

Una aventura fotográfica

ARGENTINA. Una aventura fotográfica.

Una aventura que comienza en el mismo estudio de Aldo Sessa cuando, con idéntica actitud, dice "me voy a fotografiar el Obelisco" o "salgo para Ushuaia"... y, con poco más que sus máquinas, parte. Vuelve enseguida, o casi enseguida, según las distancias, con sus rollos y sus valiosos apuntes. Aguanta a pie firme los resultados del laboratorio y, ya con las fotos en el visor, exclama "¡qué buena suerte!".

¿Suerte?... Es más serio creer en sus cualidades de artista y en su estricta profesionalidad. Según él, las escenas "se le dan": un oportuno juego de luces entre los árboles (85)*..., caballos, a los que, en ese preciso momento, se les ocurre ir a beber en un charco (162)..., los colectivos agrupados como para una "largada" en Palermo (16b)..., un fogón listo para la mateada (212-215)... Sí, las cosas se dan, pero son distintas cuando el que las mira y las plasma en la tela o las fija en una película, es un artista. Al respecto recordamos la reflexión alguna vez oída de labios de un profesor de Arte: El néctar de las flores está allí, a disposición de cualquier insecto, pero ¡qué diferente es el producto final, cuando es la abeja quien lo liba!

Y bien..., esta "aventura fotográfica" que Aldo Sessa comparte con los que recorren estas páginas, tiene por escenario el gran espacio geográfico que ocupa la República Argentina. Extendida, sobre todo en latitud, abarca todos los paisajes, todos los climas. Coronada en el norte por el Trópico (57, 138-147), su extremo sur alcanza las latitudes heladas (27); recostada en el oeste sobre una de las más altas cordilleras de la Tierra (161), extiende sus fértiles llanuras ricas en ganados (206-209) y sus áridas mesetas (38-39) en busca del mar océano (114-115) que baña sus costas orientales. Para el deleite de los que se interesan por el pasado, la lente de Sessa ha registrado también las huellas que el tiempo ha dejado en su paso por todos los confines del país: monumentos naturales, tallados por los vientos y las aguas (149), petroglifos (136), construcciones prehispánicas (183), emocionantes testigos de los primeros balbuceos del arte hispanoamericano (181a,b) y las más bellas manifestaciones de su brillante apogeo (101). Ha registrado también algunas de las actividades del hombre, como las propias del agro (41, 156, 208), la de la extracción del petróleo (124b), la explotación del bosque (204) o las deportivas, como la pesca (200) o el esquí (165).

Es éste un espacio muy reducido para analizar todas las imágenes expuestas; por otra parte, es mejor que cada uno las saboree a su modo y que muchos agreguen a ellas sus recuerdos y sus nostalgias.

Este libro no es, pues, ni una guía turística, ni un texto de Geografía, aunque ellos también podrían ser una obra de arte en las manos de Sessa. Ante todo, está destinado al recreo visual de quien recorre sus páginas. Es un rico conjunto de imágenes en el que campean: la creación en su estructura general; en los temas, lo insólito (16c, 148a), el contraste que nos lleva sin más ni

más, desde la Plaza San Martín en Buenos Aires (17) a la Isla de los Estados (26) en "la punta sur del mapa"..., o de junto a la llama votiva del Monumento a la Bandera en Rosario (54-55), hasta al pie de un palo borracho en la selva formoseña (56) y la autenticidad, ya que ninguna de las fotos es producto de "truccatura" de laboratorio.

La obra representa la Argentina desde el propio enfoque de Aldo Sessa: "me paro en la montaña y veo..."; es un trabajo hecho con libertad y sin apremios. A veces se detiene en un tema como si se enamorara (65/67, 116, 117, 148, 180-181, 210-211). Tiene sus preferencias: parecería que le gusta más Uquía (181), que un templo de rico ornato. Y hasta cae en reiteraciones que, a la postre, son aciertos felices.

Aunque no los elude del todo, busca lugares que no son los habituales del turismo; tal es el caso de la Estancia Santa Catalina (100/107) de la que el arquitecto Mario J. Buschiazzo dijera: "No lejos de Jesús María, hacia poniente, donde comienzan las serranías, levantaron los jesuitas, a partir de 1622, la mejor y más hermosa de sus estancias". Y el de esa calle humahuaqueña con gárgolas para el desagüe de sus techos (186-187) o el del carro con mulas en Mansupa (197a). Estamos seguros, eso sí, que muchos de esos lugares y, gracias a la influencia de las fotos de Sessa, se incorporarán al itinerario turístico del que los disfrute por anticipado en este libro; es que estamos frente a un experto didacta que enseña a ver.

A modo de homenaje, no faltan a la cita ninguna de las provincias argentinas; algunos se quedarán con el deseo de "un poco más", pero deben comprender que ésta es en sí una visión casi musical de este inmenso país, tan difícil de atrapar, de ver y de comprender... Los pequeños acordes, no son los menos importantes...

Y, como en toda aventura, son muy útiles los mapas que nos ayudan a orientarnos y a no perdernos... En las últimas páginas de este libro (216/220), una cuidadosa selección de ellos explica "dónde está ubicada la Argentina en el mapa del mundo", "la equivalente situación geográfica, en el Hemisferio Sur, de algunas de sus ciudades, con respecto a las más conocidas del globo en el Hemisferio Norte" y "a cuántos kilómetros ascienden sus grandes dimensiones y distancias internas"; por último, un mapa con la "división política territorial del país", acompañado por un "índice de topónimos" que servirá para orientar al lector y ubicar los lugares que "describen" las fotografías del libro.

Al argentino que, a través de estas imágenes, amará más al país que lo vio nacer y al extranjero que aprenderá a amarlo, les deseamos un gran éxito en esta "aventura fotográfica".

* Números de las páginas donde se hallan las fotos que ilustran lo expuesto.

El especial ordenamiento que Aldo Sessa hace de las fotografías en este libro, responde a un objetivo prefijado: el de mostrar al país en sus contrastes. Con este criterio, logra, además de mantener viva la atención del que recorre sus páginas, resaltar el protagonismo que el artista reserva al ritmo y al color.

Acorde con este propósito, se sintió la necesidad de redactar un texto que sirviera de "columna vertebral" y de punto de referencia para orientar al lector acerca de los lugares y temas que las fotografías ilustran y de su entorno regional dentro de la geografía del país.

ARGENTINA. El país.

Con una armoniosa distribución de sus accidentes geográficos que permite la fácil comunicación entre los puntos más opuestos y distantes de su inmensidad geográfica; con una feliz distribución de climas, abundancia de tierras laborales, disponibilidad de agua para el riego y para el aprovechamiento energético y un subsuelo rico en hidrocarburos; con una población de buen nivel cultural, sin problemas raciales ni religiosos, de reconocida capacidad técnica y profesional y de aprovechamiento frente a todo lo que el progreso, la civilización y la cultura ofrecen, la Argentina es el país en que hombres venidos de todos los confines de la Tierra, encuentran su habitat propio.

BUENOS AIRES. Capital Federal de la República.

Cada porteño, hombre o mujer, siente a Buenos Aires como suya y le es muy difícil hablar de ella. Porque Buenos Aires "es así"..., no tiene ni grandes defectos, ni extraordinarias cualidades. Se la ama, y nada más... Buenos Aires son sus calles y avenidas, bien o menos bien pavimentadas; sus barrios modestos, otros menos modestos y los opulentos. Su edificación, elegantísima, al mejor estilo de París o de Londres, en muchos lugares; "plantada" de torres y rascacielos en otros; con barrios enteros de exquisito buen gusto; y muchas veces, es bueno reconocerlo, abigarrada, heterogénea y a contrapelo de cualquier estilo. Su tránsito infernal, tiene en los "colectivos" a sus diablillos traviesos...

Buenos Aires son muchas cosas... Empecemos por los árboles, bastante raro tratándose de una grande y populosa ciudad. ¡"Los árboles de Buenos Aires"! Por todas partes, árboles, no sólo en los parques, diseñados por parquistas de la talla de Carlos Thays, creador del Jardín Botánico; en este paseo, más de 5 mil especies de plantas de todos los climas, distribuidas con criterio científico, comparten el ámbito con puentes, estatuas y construcciones de alta calidad artística. En Belgrano y en Palermo, las calles son túneles de verde; muchos árboles son de hojas perennes. Otros, en sus floraciones, como la *tipa* y el *jacarandá*, cubren de colores el pavimento; muchas veces, un semáforo, desesperado, trata de hacernos sus señas, entre la maraña de ramas, de hojas y de flores... Mientras en el Parque Tres de Febrero el Rosedal luce sus galas, el Patio Andaluz sus mayólicas esmaltadas y el *aguaribay* se mece junto al lago, en los alrededores de la Recoleta, el *gomero* inmenso, abarcador, recoge atento, de la mesa de los bares, diálogos de amor, de política, de economía; muy cerca, el *ombú* se desparrama perezoso, embelesado con el perfume de la opulenta *magnolia*. Más allá, *tilos* y *moras* son heraldos de la primavera. Multitud de jacarandaes, lo engalanan todo con sus flores violáceas, aun antes de que asomen sus hojas; para no ser menos, los *palos-borrachos*, se visten de rosa para despedir el verano. Todos ellos, más enhiestas *palmeras, robles, pinos* y *cedros*, pueblan las plazas de Buenos Aires, posiblemente las mejor arboladas del mundo.

Buenos Aires, son sus cincuenta barrios. Enmarcados en un polígono de 200 kilómetros cuadrados de superficie, sus contornos son la avenida General Paz, el Riachuelo y el Río de la Plata; sin embargo, la zona de influencia de la Capital Federal se prolonga en los distritos suburbanos con jurisdicción en la provincia de Buenos Aires, con los que se integra el Gran Buenos Aires. Algunos de ellos –Vicente López, San Isidro, Tigre, la zona del Delta del Paraná, Bella Vista, Hurlingham, Adrogué, entre otros–, con sus clubes, casas de fin de semana o de habitación permanente, jardines y paseos, son como la continuidad y el desahogo de la gran ciudad. Fundada en 1580 por Juan de Garay (la llamada "primera fundación" no fue tal, sino un simple asentamiento), Buenos Aires se recuesta sobre el Plata, ancho, con pretensiones de mar, pero con aguas dulces y "color de león". Los porteños querrían a su río más a su alcance y disfrutarlo en toda su dimensión, sin que se lo impidan los diques del puerto, las usinas, los elevadores de granos, el ferrocarril... La avenida Costanera, satisface en parte sus deseos y también lo hacen los últimos pisos de las bellas y altas edificaciones que se alinean a lo largo de las avenidas Colón, Alem y del Libertador.

Buenos Aires, en conjunto, tiene el diseño de un damero; sus calles se cortan en ángulo recto. Muy pocas diagonales interrumpen este esquema. Una larga avenida, Rivadavia, la recorre de este a oeste y la divide en dos partes casi simétricas. Muy pronto, la avenida 9 de Julio, de más de 100 metros de anchura, completará su trazado norte-sur engalanada en su centro por el Obelisco, símbolo moderno de la ciudad, obra del arquitecto Raúl Prebisch. Es en él donde convergen, además, la avenida Corrientes y la Diagonal Norte. Si de avenidas hablamos, no podemos dejar de mencionar la muy española y muy nuestra Avenida de Mayo que extiende su recorrido entre el palacio del Congreso de la Nación y la Casa Rosada, sede del Poder Ejecutivo, frente a la Plaza de Mayo. Nos dejamos tentar enumerando algunos de los edificios del Buenos Aires monumental: el Correo Central, el Palacio de Justicia, las casas matrices de Bancos nacionales y extranjeros, los nuevos bloques de las Catalinas, junto a los entrañables edificios de sus *iglesias*, ya seculares: San Ignacio, San Francisco, Santo Domingo, Nuestra Señora de la Merced. Capítulo aparte merece la *escultura* que puebla plazas, jardines y avenidas, y que sorprende al que pasa, por su belleza, por su elegancia y las valiosas firmas que la avalan. Testigos de lo que decimos, es la incomparable estampa del

Monumento de los Españoles de Agustín Querol; el monumento al General Carlos María de Alvear de Antoine Bourdelle, autor también de "El Centauro Herido" y de "Heracles"; "La Cautiva" de Lucio Correa Morales; "Las Nereidas" de Lola Mora; "Canto al trabajo" de Rogelio Yrurtia; "El arquero" de Alberto Lagos; el monumento a Nicolás Avellaneda de José Fioravanti y, de Augusto Rodin, "Sarmiento". Por otra parte, la instalación de museos, embajadas y otras instituciones, en casas y palacios levantados en la ciudad, como residencias particulares, alrededor de los principios de este siglo, los ha preservado de la piqueta demoledora del progreso. Es así que hoy lucen como galas, entre otros: el Palacio Errázuriz, sede del Museo de Arte Decorativo cuyo arquitecto, René Sergent, se inspiró en las fachadas de Gabriel que rodean la Plaza Vendôme en París; el Palacio del Ministerio de Relaciones Exteriores; los palacios que ocupan las embajadas de Italia, de Estados Unidos de América y la de Brasil —estas dos últimas de Sergent—, de Francia, la Nunciatura Apostólica, el Círculo Militar, el Museo Fernández Blanco de estilo barroco americano; la casa del escritor Enrique Larreta, hoy Museo que lleva su nombre, de puro estilo español. Es oportuno destacar la bella imagen que ofrece el conjunto arquitectónico que rodea la plaza Carlos Pellegrini en el barrio de Retiro.

Con una historia relativamente joven, Buenos Aires, está, sin embargo, llena de recuerdos, más que de testigos materiales que fueron, en su mayoría, desapareciendo con el tiempo. Sin embargo, en rincones seguros de la memoria, en cartas y documentos conservados, se puede fácilmente indagar sobre el pasado y reconstruirlo con bastante fidelidad. La Plaza de Mayo, antigua Plaza de la Victoria, es piedra angular de los tiempos pasados; el Cabildo es su más antiguo testigo; la Catedral Metropolitana, de estilo neoclásico, custodia el mausoleo que guarda los restos del general José de San Martín. Hacia el sur de la Plaza, están los barrios de Monserrat y de San Telmo; en las casonas de uno o dos pisos que aún subsisten, algunas con rejas, grandes patios con galerías y algún aljibe –la Santa Casa de Ejercicios Espirituales es una muestra acabada de ese estilo de edificación– se podrían oír las voces de muchos de los hombres y mujeres cuyos nombres llenan las páginas de nuestra Historia; muy cerca, el Parque Lezama, otro ejemplo de amalgama entre la naturaleza y el arte. En Recoleta, hoy uno de los paseos más concurridos y elegantes de la ciudad, se levantan la Basílica Menor de Nuestra Señora del Pilar, del siglo XVIII, y el Cementerio del Norte, comúnmente llamado Recoleta, inaugurado en 1822, que recuerda el estilo de las necrópolis de Génova o de Milán; algunas de las bóvedas y mausoleos son obra de artistas de renombre, como José Fioravanti, Pedro Zonza Briano, autor de "El Redentor" sobre la avenida principal, Alfredo Bigatti y muchos más. A su vez, los barrios de Belgrano, Balvanera, San Nicolás, Retiro, entre otros, son, con sus plazas y sus parques, sus casas y sus iglesias, otros tantos capítulos de esta joven Historia.

Buenos Aires es su gente. La Capital más el conurbano, reúnen 10.000.000 de habitantes. Si paseamos por Florida, una de las calles más concurridas, nos impresiona la "Babel" de razas y de nacionalidades que por ella desfilan y la diversidad de lenguas, o simplemente matices, que emplean en sus diálogos. Todas esas personas son las mismas que habitan en los barrios porteños y conviven, todos con todos, sin problemas de origen o de religiones. Tal es la causa del perfil de la gente de Buenos Aires, cordial, abierta, espontánea, acogedora.

La ciudad, es sede de la más importante de las universidades nacionales del país, de varias universidades privadas, de institutos de enseñanza superior, de colegios tradicionales, de academias y de centros de investigación; al mismo tiempo, es, con frecuencia, elegida como lugar de encuentros nacionales e internacionales de simposios y congresos referidos a todas las ramas del saber. El Museo Nacional de Bellas Artes, sobre la Avenida del Libertador, reúne una importante cantidad de obras de pintura y de esculturas de todos los tiempos y de todas las escuelas. Bibliotecas públicas, oficiales y de instituciones privadas, así como diversos archivos, están al servicio de estudiosos y diletantes. El planetario Galileo Galilei, en el bello marco de los jardines de Palermo, con una excelente organización, proporciona a estudiantes y estudiosos, valiosa información relacionada con los últimos adelantos en Astronomía y Astronáutica. Dejando atrás el planetario, con rumbo a la Plaza Italia, se camina por la espléndida avenida Sarmiento, flanqueada por un lado por el Jardín Zoológico, donde los más chicos y también los grandes que los acompañan, quedan extasiados ante los animales exóticos y las no menos exóticas construcciones que los albergan; por el otro lado, se pasa delante de jardines del Parque 3 de Febrero y se llega al predio que la Sociedad Rural Argentina ocupa en Palermo. En este lugar, todos los años, entre los meses de julio y agosto, la Sociedad Rural realiza la Exposición Nacional de Ganadería e Industria. El nutrido público que asiste a esta *"fiesta del campo en la ciudad"*, puede admirar en los espectaculares ejemplares de animales que se exhiben, el esfuerzo que en nuestro país se realiza para conservar el merecido título de haber logrado una de las mejores ganaderías del mundo.

En materia de espectáculos, Buenos Aires es pródiga en salas de teatro y de cine. El Teatro Colón es uno de los escenarios líricos más afamados del mundo; su bello edificio, junto con el del Teatro Nacional Cervantes, son dos joyas arquitectónicas: el Colón, ejemplo de construcción de fines del siglo pasado y principios del siglo XX; el Cervantes, del más puro estilo plateresco español.

Si de deportes hablamos, el fútbol, más allá de su carácter de deporte-espectáculo, en Buenos Aires es una pasión que no respeta edades ni condiciones sociales o económicas, está más allá de las diferencias políticas e invade todos los ámbitos... Los partidos entre River Plate y Boca Juniors, los dos clubes que concentran el mayor número de aficionados, ocupan durante muchos días los primeros planos en la crónica diaria de los medios de difusión. La *"polémica en el fútbol"* comienza en el hogar, se desata en el estadio, se prolonga en el colegio, en el consultorio, en la oficina, en la cátedra... En número de aficionados no le va en zaga el *turf, "los burros"* en lenguaje popular; dos grandes hipódromos: el de Buenos Aires, en Palermo, y el de San Isidro, perteneciente al Jockey Club, son escenarios donde lucen sus colores, caballos provenientes de afamados haras argentinos y también extranjeros. El polo exhibe con orgullo equipos de 40 tantos que, con una caballada de renombre internacional por su calidad y entrenamiento, se destacan como los mejores del mundo.

No podemos terminar esta referencia a Buenos Aires, sin ocuparnos de algunos de los lugares de fuerte atracción turística que son, a la vez, motivo de goce y de esparcimiento para los que habitamos esta gran ciudad. Desde la localidad de Tigre –"el Tigre", para los porteños– se accede al Delta del Paraná, cuya descripción hallará el lector en este mismo libro; a pocos kilómetros del centro de Buenos Aires, el viajero podrá gozar en plenitud de un paisaje semisalvaje de fuerte tono tropical. Una excursión por sus ríos y canales, en cualquiera de los medios que se ofrecen, se inscribe entre los recuerdos perdurables. No le va en zaga un paseo por la zona suburbana de San Isidro, rica en recuerdos y admirable por sus casas y jardines. En la misma ciudad, se puede gozar, además de la excelente cocina internacional en todas partes, del placer de gustar de la mejor carne del mundo en asadores instalados en pleno Centro o a lo largo de la Avenida Costanera. No sin orgullo, la ciudad ofrece calles y avenidas: Florida, Santa Fe, Alvear, Arenales, Callao, y otras, en las que los comercios son vidrieras que exhiben la elegancia y el buen gusto que dominan en la ropa de vestir de mujeres y de hombres, y en los detalles que los acompañan; lo mismo sucede con los objetos relacionados con la decoración y el confort de la casa, de la oficina, del jardín. Inclusive en los barrios, en determinadas calles, se concentran comercios que hacen gala del buen gusto de los argentinos por las cosas bien hechas y bien presentadas, tal es el caso de la avenida Cabildo en el barrio de Belgrano. Una recorrida por San Telmo, reinado de los anticuarios, especialmente los días domingo, cuando se instala en la plaza Coronel Dorrego la llamada "Feria de San Telmo" proporciona el gran atractivo de poder contemplar y adquirir cosas "viejas" y cosas antiguas. Tanto en San Telmo como en La Boca (calle Caminito) y otros lugares de la ciudad, se puede oir cantar el tango, de profunda raíz popular, verlo bailar por consumados bailarines y, si se quiere, también bailarlo. Los nombres de Carlos Gardel, Homero Manzi y Julio De Caro, están asociados a su génesis y "presentes" en estos lugares.

LA MONTAÑA Y LA MESETA

EL NOROESTE

Comprende la provincia de Jujuy y parte de las provincias de Salta, Catamarca y Tucumán.

En la Puna, panorama extraño, distinto, el Noroeste participa de la augusta sobriedad del Altiplano, donde reinan el viento blanco, el ichu amojonado y los cactus. En el dominio de las sierras subandinas, una orografía antigua, trabajada por movimientos telúricos, por las aguas y por los vientos; quebradas abiertas por los ríos que sirven de puertas a los magníficos anfiteatros de los valles. En total, un paisaje complejo, en el que se pasa del día ardiente con cielos sin nubes, a la noche helada; de la aridez más pobre en la que sólo sobrevive la paja brava en el oeste, a la selva tropical hacia el oriente, rica en jacarandaes y lapachos; en el centro, montes de enhiestos cardones en las cuestas y quebradas, habitat de guanacos, alpacas, vicuñas y llamas. Por

aquí llegaron, desde el Perú, los conquistadores y aquí se quedaron; los valles son, aún hoy, lugar de asentamiento de pueblos antiquísimos que cobijan en celosa simbiosis lo autóctono y lo hispano. De ello hablan la subsistencia de viejas técnicas agrícolas aunadas a las aprendidas del español, las vestimentas en las que conviven el poncho indio y la manta usada por las mujeres a modo de rebozo madrileño o andaluz, las graciosas batas y camisas bordadas, las ojotas y el rico folklore musical, por no hablar de las conmemoraciones religiosas, mezcla del más puro panteísmo y las más acendradas creencias cristianas. El hombre, venido de muchas partes, que ha llegado después con sus torres de petróleo, sus diques y represas, sus cultivos y su ganadería tecnificados, sus altos hornos o sus explotaciones de uranio, se siente agradablemente atrapado en las redes de sólidas tradiciones y no desdeña beber la deliciosa chicha morada que le ofrecen en el camino, vestir el colorido poncho de los calchaquíes o el rojinegro de los salteños y gozar de las delicias del atardecer en las frescas galerías de las casas de techos rojos. Bien provisto reducto arqueológico para estudiosos e investigadores, exponente de un folklore cuyos sones transponen su propio ámbito, legítimas huellas del arte hispánico, paisajes bellos e insólitos, muestras de una moderna y promisora actividad económica, hacen del Noroeste uno de los más atrapantes centros turísticos de la Argentina. He aquí sólo algunas de las realidades que de esta región puede llevar en sus alforjas el viajero: en La Quiaca, en Jujuy, todo el colorido de "La Manca Fiesta", única feria de trueque todavía existente en el país. La visita de Humahuaca en la quebrada del mismo nombre, pórtico de entrada a la Puna y notable yacimiento arqueológico; muy cerca, en Tilcara, la fiel reconstrucción del Pucará y la sinfonía de colores de la montaña en Purmamarca. En San Salvador de Jujuy, la estupenda talla en madera de ñandubay del púlpito de la Catedral y la iglesia de San Francisco; en Uquía, la iglesia del pueblo, típico exponente de la arquitectura del Altiplano. Ya en Salta, los caminos bordeados de lapachos, algarrobos y palos borrachos del valle de Lerma, llevan a la imponente quebrada del Toro recorrida por "el tren de las nubes". Camino de Cafayate, en la quebrada de su nombre, llama la atención del espectador el colorido de la vegetación y las extrañas formas talladas por el tiempo en la montaña. Salta, rica en tradiciones, nos permite admirar en la capital, Salta "la linda", la Catedral, el Cabildo, la iglesia de San Francisco, el convento de San Bernardo y, sobre todo, sus antiguas casas; en sus ciudades y pueblos, una rica veta, mezcla de piedad, de historia y de folklore como la Fiesta del Milagro, la de la Candelaria, el Carnaval, o "La Guardia bajo las estrellas". Y, en medio de una difícil geografía, campos cubiertos de tabacales, vides, caña de azúcar y cereales; una rica ganadería, sobre todo de camélidos y ovinos a la que se une la producción forestal, la minera, la del petróleo, la de gas natural y la de energía hidroeléctrica. Tucumán, ruta obligada desde la época hispana entre el Alto Perú y Buenos Aires, fue escenario de la conquista y de importantes acontecimientos históricos. El rápido crecimiento de su población se debió a la variedad y cantidad de sus recursos naturales, con lo que en poco tiempo, Tucumán, la más reducida en extensión de las provincias argentinas, se transformó en uno de los centros más densamente poblados del país. Su capital, San Miguel de Tucumán, donde el 9 de Julio de 1816 tuvo lugar la Declaración de la Independencia, es hoy un rico centro agroindustrial y sede de la Universidad Nacional de Tucumán uno de los centros culturales más importantes del país. Al monocultivo de la caña de azúcar, y la correspondiente instalación de importantes ingenios, se han agregado otras explotaciones agrícolas y la implantación de diversas industrias de maquinarias, de automotores de transporte, electrónicas, del papel, etcétera. Tucumán, llamada *"el jardín de la República"* ofrece al viajero lugares de gran belleza y tradición como Tafí del Valle, Villa Nougués, Quilmes.

LA REGIÓN DE CUYO

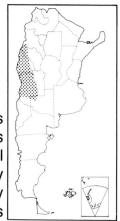

Comprende el área andina y las planicies de pie de monte de las provincias de La Rioja, San Juan y Mendoza.

Hasta el norte del Neuquén, en el pétreo semidesierto de los Andes Áridos, dominio del Aconcagua y de otros colosos, los *oasis de cultivo* surgen como un milagro, acompañando el curso de los ríos que bajan de la cordillera entre canales y acequias, custodiados por frescas alamedas. Allí los olivos y las vides aplacan la nostalgia de los hombres nacidos en las soleadas tierras del Mediterráneo europeo y de sus descendientes. Hijos de inmigrantes, principalmente italianos y españoles, constituyen un grupo étnico único en el interior de las tierras de América del Sur; al contrario de lo que sucede en las demás zonas andinas del continente, casi no quedan rastros de la población aborigen. A la actividad primera del cultivo de la vid, se han unido, en los oasis creados por los ríos y multiplicados por la obra del hombre, los cultivos del olivo, de frutas y hortalizas, así como la cría de ganado. Cuando llega la primavera, los cuyanos, como sus ancestros europeos, trepan la montaña con sus animales en busca de pastos tiernos, sobre todo para los vacunos; las ovejas y las cabras los acompañan, aunque ellas, más sobrias, saben ramonear en las partes comestibles de la vegetación espinosa del monte... Importante región minera: calizas, mármoles (el travertino en San Juan), arcillas finas, también metales y uranio, tiene en el petróleo la más importante explotación, con considerable peso en el cuadro energético nacional; Luján de Cuyo, en Mendoza, es una de las principales refinerías del país. Hablar de industrias en las provincias cuyanas, es hablar, en primer término, de vinos; elaborados con alta tecnología a la vez que con exquisita habilidad artesanal, legítimamente heredada, compiten con los mejores del mundo. Otros frutales y productos de huerta, proveen a una bien organizada industria alimentaria. Es de destacar que el alto índice de producción y de consumo de la región, han llevado a muchas de las grandes industrias del país a instalar aquí sus plantas filiales. Las altas montañas son paraíso para los escaladores de todo el mundo; centros internacionales para la práctica de deportes de invierno, con modernísima infraestructura, han cobrado inusitado auge en los últimos años. Otros paisajes, sin el placer de la nieve o de los oasis, pero no menos imponentes, se extienden hacia el este; tales son la llanura arenosa y salitrosa de *la travesía* que inspirara páginas del *Facundo* de Sarmiento o el monumento geológico del *Valle de la Luna* en San Juan, tallado por las aguas y por los

vientos, que deja atónito al visitante con sus extrañas formas y reservas arqueológicas. Al primer impacto de las cumbres nevadas que recibe el viajero que llega a las tierras cuyanas, seguirá el risueño cantar de las *acequias* y canales que atraviesan las fincas y hacen posible los cultivos. Bodegas y viñedos formarán parte de su itinerario y, en marzo, asistirá a la *Fiesta de la Vendimia*. Tupungato que con Maipú y Luján forman el tradicional *"camino del vino"* por la cantidad de bodegas allí instaladas, es uno de los más afamados oasis del continente americano; en su especial microclima, se dan todas las condiciones para la producción de la uva y de excelentes vinos, con un óptimo rendimiento. En la ciudad de Mendoza podrá recorrer los sitios históricos que recuerdan el paso del general José de San Martín: el solar que habitó, documentos de la Campaña de los Andes, la Bandera de su ejército. Podrá también admirar el diseño del Parque que lleva el nombre del Libertador, obra del arquitecto francés Carlos Thays con un magnífico muestrario de especies arbóreas traídas de todas partes del mundo; el Parque se eleva en el Cerro de la Gloria con el Monumento al Ejército de los Andes. Saliendo de la capital, famosas *termas* como las de Cacheuta y Villavicencio o las ya casi abandonadas, pero no menos conocidas de Puente del Inca; la villa turística de Las Cuevas y no lejos de allí el monumento al Cristo Redentor. Conocidos centros de esquí en "Los Penitentes", "Potrerillos" y el más moderno y espectacular complejo turístico de "Las Leñas" en Los Molles, cerca de Malargüe. En el terreno de la cultura, Mendoza es sede de la Universidad de Cuyo de la que dependen varias facultades y colegios e interesantes museos. San Rafael, la segunda ciudad en importancia fue puesto de avanzada en la *Conquista del Desierto*; a pocos kilómetros de distancia, se pueden admirar las obras del dique del Nihuil. San Juan participa del pujante desarrollo de la industria vitivinícola con los mismos recursos naturales y de esfuerzo del hombre, comunes a toda la región. La ciudad capital, San Juan, es el escenario que Sarmiento inmortalizó en sus *Recuerdos de Provincia*. La *Fiesta Nacional del Sol*, en el mes de agosto, y el Parque Provincial de Ischigualasto, llamado *"Valle de la Luna"*, ya mencionado, son otros tantos atractivos de la región de Cuyo, *"tierra del sol y del buen vino"*.

LA PATAGONIA

Comprende el sur de la provincia de Mendoza, las provincias de Neuquén, Río Negro, Chubut, Santa Cruz y Tierra del Fuego, Antártida e Islas del Atlántico Sur.

En el mapa, un inmenso triángulo invertido, de 750.000 kilómetros cuadrados de superficie, cuya base descansa en los límites meridionales de Cuyo y de la Pampa, y su vértice, en el sur, es el *finis-terrae* del país, antes de llegar a los dominios helados de la Antártida. Bajo el nombre generalizado de *Patagonia*, viven, sin embargo, dos paisajes muy diferentes: el de los Andes, al oeste y al sur y el de las mesetas que se escalonan rumbo al océano y se sumergen en sus aguas.

Los Andes patagónicos

A partir de los 36° de latitud, y hacia el sur, la montaña andina pierde su aspecto pétreo, árido y amurallado; se cuelan entonces por sus valles los vientos húmedos del Pacífico y sus laderas se visten de bosques que trepan hasta las alturas. Espléndido muestrario de especies arbóreas, algunas únicas en la flora del mundo: el alto y esbelto *pehuén*, el corpulento *coihue*, los gigantescos *alerces*, el *roble*, el *raulí*, el bello *arrayán*, las *hayas*... se espejan, junto con las cumbres nevadas, en los lagos de transparentes aguas entre verdes y turquesas y reinan sobre las violetas, las frutillas silvestres, el lirio y la azucena, compitiendo con ventaja con los más preciados ambientes alpinos... Así lo ven sus pobladores, muchos europeos y sus descendientes, que habitan sin nostalgias estos lugares a los que llegaron con sus costumbres y sus labores, aplicando su amor al ambiente al que muy fácilmente pudieron adaptarse. Muchas veces, es el viajero que, atraído por el paisaje, por la caza mayor, la pesca de los *salmónidos*, la visión colorida de las afamadas pistas de esquí, la excelente cocina, el trato de la gente, se ha propuesto volver y, no pocos, se han quedado a vivir. Más al sur, y hasta la Tierra del Fuego, los glaciares. Estos enormes campos de hielo, cuando las caricias del Sol se hacen más cálidas, comienzan a arrojar sus *carámbanos* al lago en medio de imponente y atronador espectáculo; de ello hablan al viajero el glaciar Moreno y el Upsala —este último es considerado el mayor del mundo— sobre el lago Argentino; navegar sus aguas, entre bloques de hielo, es impactante. Así llegamos hasta donde terminan las tierras...; donde la *lenga*, el *ñire* y el *canelo* desafían a los vientos alternando con la estepa herbácea, con ríos impetuosos, ventisqueros, *turberas* pantanosas, broche final para esta geografía de la Cordillera. Ahora bien, el que quiera gozar de ella plenamente, debe saber que los Parques Nacionales, "Lanín", "Nahuel Huapi", "Los Arrayanes", "Los Alerces", "Los Glaciares", entre otros, contienen todos los atractivos descriptos: en sus bosques con cotos de caza; en sus centros de esquí como Chapelco, Cerro Catedral y La Hoya; en la cantidad enorme de lagos con paisajes cambiantes —Lácar, Nahuel Huapi, Correntoso, Lolog, etcétera— ideales para la pesca y los deportes náuticos. No menos atractiva es la posibilidad de recorrer los Parques a caballo, en embarcaciones diversas a través de los lagos o los rápidos de los ríos, o emprender la aventura en vehículos especiales adaptados a terrenos ríspidos, sin traza de caminos. Entre las ciudades, San Carlos de Bariloche, a orillas del Nahuel Huapi, con neto sabor alpino, es el pórtico de entrada a uno de los lugares más bellos del mundo. Basada su actividad en el turismo de todo el año, es sede, al mismo tiempo, del Instituto Balseiro en el Centro Atómico Bariloche, del que egresan ingenieros en energía nuclear y licenciados en Física, de la Camerata Bariloche de prestigio mundial y del Centro de Capacitación de Guardaparques, el mayor de América del Sur. La industria artesanal del chocolate ha escalado prestigio internacional. Ushuaia, capital de Tierra del Fuego, la ciudad más austral del mundo, se yergue hoy como un faro de progreso gracias a su vertiginosa industrialización que llevó, además, a esas latitudes, a una población estable y emprendedora. También lo son las obras que se realizan para la producción de energía eléctrica y la provisión de riego para toda la región: el embalse Ezequiel Ramos Mexía en El Chocón (para la producción de más de 1 millón y medio de kilovatios); el embalse Florentino Ameghino en Chubut; el dique Futaleufú, también en Chubut, que provee energía para la planta de aluminio de Puerto Madryn.

La meseta patagónica

Más difícil es hablar de la Patagonia extraandina a la que llamamos también *"meseta patagónica"*; tierras áridas, cortadas por ríos encajonados y sin afluentes, de suelo arenoso y pedregoso, dominio del *mará* (liebre patagónica). Casi siempre se la asocia a la idea del desierto cruel e inhóspito, donde sólo los ovinos son capaces de desafiar con sus espesos vellones al viento helado y de conformarse con la sobria dieta de sus pastos duros o a las torres del petróleo, que se yerguen en sus costas como pretendidos reemplazantes del árbol inexistente y se implantan hasta en el dominio de las aguas del océano; aún así, salta a la vista la inmensidad de los recursos petroleros que al país le falta aún por explotar. Todo eso es parte de la Patagonia extraandina, pero también lo es el Alto Valle, en el tramo superior del río Negro, donde, a lo largo de más de 120 kilómetros, se distribuyen poblaciones cuyo trabajo y abnegación han transformado esta parte del país en una *huerta de frutales* sin solución de continuidad; es gloria, desde el comienzo de la primavera hasta el otoño, desde la floración hasta la madurez, recorrer estas tierras de regadío en la que los manzanos, los perales y las vides surgen como un milagro en el desierto, bajo la sombra protectora de los álamos. Los mismos frutos alcanzó la colonización galesa junto al río Chubut, a pocos kilómetros de su desembocadura en el océano, donde pudieron demostrar qué diferencia hay entre tierras estériles, *"tierras malditas"*, y éstas que son sólo áridas a la espera de la bendición del agua y del trabajo del hombre. De ello hablan, además, las grandes estancias patagónicas tal como "María Behety" en Río Grande, con su gigantesco galpón de esquila, en las que se ha logrado las mejores pasturas para el ganado lanar y cuyos vellones gozan de la más alta cotización en los mercados mundiales. Su extenso litoral marítimo, alto y acantilado con sólo sus *caletas* y bahías para refugio de la navegación, ofrece el espectáculo insólito, único en el mundo, de sus elefanterías, loberías y pingüineras o la aparición, a mediados de junio, en el golfo San José, de la ballena franca. En Puerto Pirámides, en el Golfo Nuevo, se puede observar, desde lo alto de un acantilado, una de las más concurridas loberías. Las aguas transparentes del golfo Nuevo han transformado a Puerto Madryn en *"la capital subacuática de la Argentina"*; la ancha plataforma submarina patagónica favorece la pesca de altura, atraída por la enorme cantidad y variedad de especies ictícolas. La explotación del petróleo, desde Neuquén hasta Tierra del Fuego, no sólo ha sembrado la superficie de torres y de *"cigüeñas"*, sino que ha dado lugar, con Comodoro Rivadavia a la cabeza (es el centro de la cuenca petrolera más extensa del país), al nacimiento de importantes núcleos de población que han diversificado sus actividades, derivándolas a la explotación agrícola y ganadera o a la actividad pesquera. Los gasoductos que van desde Comodoro Rivadavia a Buenos Aires y La Plata, son sólo muestra de la ingente riqueza gasífera de la zona. También han surgido en el ámbito de la Patagonia extraandina, importantes parques industriales tales como el de la planta de aluminio de Aluar en la provincia del Chubut. Tierra de tribus tehuelches y araucanas, ofrece testimonios del pasado que van desde la presencia de bosques petrificados en Chubut y en Santa Cruz y la *"Cueva de las Manos"* en el cañadón del río Pinturas, hasta los más recientes de la colonización galesa en Gaimán.

LA SIERRA

LAS SIERRAS PAMPEANAS

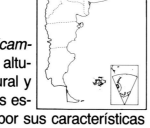

Esta región abarca, sólo en parte, las provincias de Tucumán, Catamarca, La Rioja, San Juan, Santiago del Estero, Córdoba y San Luis.

Entre bloques serranos, valles y planicies elevadas –*"campos"*, las más altas; *"llanos"* las que se hallan a menor altura– con un clima árido y con la fuerte uniformidad cultural y espiritual de sus habitantes, esta región ofrece diferentes escenarios naturales, algunos de los cuales se destacan por sus características inconfundibles:

En Tucumán, la *selva serrana* de ambiente subtropical, en los faldeos orientales de la sierra del Aconquija, trepa hasta los 1400 m de altura con el *laurel*, el *cedro*, la *tipa*, el *nogal*, el *lapacho*, envueltos entre lianas y enredaderas y engalanados con orquídeas.

En Catamarca, el magnífico *anfiteatro* natural del Valle, uno de los tantos oasis de cultivo de la provincia, donde se halla emplazada la capital, San Fernando del Valle de Catamarca (la vista de la ciudad desde la Cuesta del Portezuelo es un placer del que vale la pena gozar). Allí lucen las *fiestas de la Virgen del Valle* y expertas tejedoras exponen sus labores en la *Fiesta del Poncho*. En el borde occidental de las sierras, el campo y la quebrada de Talampaya en La Rioja, ofrece el espectáculo fantasmal de sus farallones erosionados que se continúa en el Valle de la Luna, en San Juan. También en La Rioja, en campos y llanos, junto a una flora natural de *algarrobos, chañares, quebrachos*, adornados por la *"flor del aire"* que se apoya en sus troncos, surgen, gracias al regadío, verdaderas colonias frutihortícolas con vides, olivos y nogales. En La Rioja, Chilecito es la segunda ciudad de la provincia; está magníficamente situada al pie del Famatina. Alcanzó su mayor auge en el siglo XIX a raíz de la explotación de las minas de oro y plata de la región. Actualmente, sus viñedos y numerosas bodegas, producen vinos de reconocido prestigio. En muchas localidades de La Rioja, se celebran, durante el año, fechas muy queridas por los riojanos: la *fiesta del "Encuentro"* en honor del Niño Alcalde y de San Nicolás; la *fiesta de la Chaya* en Carnaval; la *peregrinación a las Pardecitas*, entre otras.

Las sierras de Córdoba se pierden, al oriente, en la Pampa húmeda. Su paisaje y su clima las han constituido en uno de los parajes más codiciados del país, no sólo para el turismo, sino también, y desde los primeros tiempos de la colonización, para la instalación permanente del hombre. Desde Cruz del Eje a Calamuchita, pasando por Ascochinga, La Falda, La Cumbre, Cosquín, Villa Carlos Paz o Alta Gracia, la serranía ofrece estos afamados centros turísticos con un cielo límpido, un sol radiante, un régimen de lluvias constante, una espléndida vegetación, sobre todo en sus faldas orientales. A esos dones naturales deben agregarse una excelente red de caminos y la proliferación de diques y embalses, antiguos y recientes, que aprovechan el agua de sus ríos y arroyos; mención especial merecen el dique San Roque, en cuyas márgenes se levanta la ciudad veraniega de Carlos Paz y el Embalse del Río Tercero que preside un conjunto de lagos, diques y represas en plena zona serrana. Una rica tradición histórica se enraiza en sus pueblos y en sus ciudades con bien conservados y valiosos testigos en la Arquitectura y en la Escultura, tal como se muestran en las *estancias jesuíticas* de Alta Gracia y de Santa Catalina en Ascochinga; de esta última, se ha dicho: "es evidente que (...) el autor del templo fue un artista extraordinario, dentro de nuestro modesto ambiente arquitectónico del siglo XVIII". También en la lengua y en las costumbres de los habitantes, las huellas del pasado son notables y firmemente asentadas.

San Luis participa, en su mitad septentrional, del paisaje de las Sierras Pampeanas. La ciudad de San Luis es capital de la provincia con acentuado aire hispánico del siglo XIX al que se van incorporando las huellas del progreso. Por su parte, Villa de Merlo es considerada la *"capital serrana"*; recostada sobre la sierra de Comechingones, desde sus alturas puede contemplarse el valle del Conlara, paisaje poblado de una rica vegetación natural y de cultivos; los lugares más agrestes son frecuentados por una variada fauna autóctona: *pájaros, pumas, lagartos* y otros.

LA LLANURA

EL PARQUE CHAQUEÑO

Comprende íntegramente las provincias de Formosa y del Chaco y parcialmente las de Córdoba, Santiago del Estero, Tucumán, Salta y Santa Fe.

Chaco, en quechua *"país de las cacerías"*. Un relieve totalmente plano con una levísima inclinación hacia los ríos Paraguay y Uruguay, que le impide desaguar sus propios cursos fluviales. El bosque es denso y enmarañado en la región oriental; poblado de árboles de *quebracho, viraró, tipa, roble, cedro...* que se yerguen, entre lianas y enredaderas; en el bosque, los claros o *"abras"* son aprovechados por la agricultura y hay abundancia de espacios inundados, salitrosos algunos, otros, cubiertos de exóticas plantas acuáticas y frecuentados por *patos, garzas, flamencos*. También el *puma* y el *gato montés, hurones, zorrinos, zorros colorados, nutrias* y *yacarés* en los ríos, entre muchos, merodean en el espacio del bosque que, hacia el oeste, se va empobreciendo hasta convertirse en el monte bajo y espinoso de *"El Impenetrable"*. En otros parajes, bosques mucho menos tupidos de *palmeras* y de *ceibos*, acompañan el curso de los ríos, abundantes en *pejerreyes, surubíes* y *dorados*. En esta geografía, el papel del hombre es protagónico. A la población indígena se agregó la de la conquista y en tiempos recientes, una fuerte inmigración ayudó a impulsar el progreso de esta región.

El trabajo casi excluyente de otrora de los *hacheros* derribando árboles de quebracho para la obtención de *tanino*, y el de las plantaciones de algodón, se ve hoy reemplazado por una gran variedad de actividades que van desde la explotación racional del bosque, una agricultura diversificada y una ganadería selectiva, hasta la instalación de industrias adecuadas a la producción de materias primas. La llamada "diagonal fluvial" de Santiago del Estero, entre los ríos Dulce y Salado, zona de excelentes tierras laborables, es, desde tiempos remotos, lugar ideal para el asentamiento humano; allí se fundó la primera ciudad en territorio argentino (año 1550), origen de la actual capital de la provincia.

En esta región del Parque Chaqueño, el viajero se sentirá atraído, en primer término, por el impacto que le produce la visión de la selva y la gozará intensamente gracias a una red de caminos que permiten recorrerla en todas sus direcciones y practicar, si así lo desea, sus habilidades para la caza mayor y la pesca; podrá llegar también a apreciar de cerca la vida en las reducciones indígenas, asistir en Quitilipi a la *Feria de Artesanía Chaqueña* y también a la *Fiesta Nacional del Algodón*.

LA MESOPOTAMIA ARGENTINA

Comprende las provincias de Misiones, Entre Ríos y Corrientes, y la porción bonaerense del delta del Paraná.

Hablamos de cuatro provincias, cada una con una realidad diferente, enmarcadas, en su casi totalidad entre los cursos de los ríos Paraná y Uruguay.

Las sierras y la selva

En Misiones, la vegetación siempre verde de la selva, con más de 2000 especies conocidas, ocupa casi todo el territorio de la provincia, trepa por las laderas de sus sierras y contrasta con las tierras rojas del suelo; una formación vegetal enmarañada, de grandes árboles *(quebrachos, lapachos, timbó, palo rosa, petiribí, palmeras, yatay)*, helechos arborescentes, lianas, orquídeas, arbustos, y, en las partes bajas y anegadas de la selva, musgos. En ella habitan el *gato onza*, el *gato montés*, el *puma*, el *jaguar*, el *anta, monos, coatíes, osos hormigueros, venados, tapires*, más de 400 variedades de pequeñas y grandes aves *(cardenales, calandrias, loros, tucanes)* e infinidad de mariposas. La caza ofrece al aficionado, desde *"patillos"* y *perdices*, hasta *pecaríes, venados, jabalíes* y *antas*; la de *yaguaretés, pumas, osos hor-*

migueros, monos, ardillas, le está vedada. La pesca deportiva, sobre todo del *dorado*, el más bravo de los peces, tiene su más importante centro en la Reserva Nacional de pesca Caraguaytá. De esta selva, más de 50.000 ha corresponden al Parque y Reserva Nacional Iguazú en el que los caprichos del relieve han provocado uno de los más grandiosos espectáculos naturales de la Tierra: las cataratas del Iguazú, las que por la abundancia y el estrépito de sus caídas, los *arco iris* formados por los rayos del sol que atraviesan la finísima llovizna que flota sobre el agua y la selva virgen que le sirve de escenario, forman parte del Patrimonio Nacional y también del mundo. Misiones es tierra de trabajo y de pioneros. Ya en los siglos XVII y XVIII, los padres misioneros de la Compañía de Jesús instalaron allí diez *reducciones indígenas*, modelo de organización político-económica-religiosa; de entre ellas, una de las más notables fue la de San Ignacio Miní, a 25 kilómetros de Posadas, capital de la provincia, cuyas ruinas, algunas muy bien conservadas, sorprenden al viajero. En la vida económica de Misiones, a aquellos sacrificados *mensús* que abrían picadas en la selva para la explotación de los yerbatales naturales, le han sucedido, gracias a la inmigración, sobre todo de alemanes provenientes de Brasil, florecientes colonias agrícolas como la de Eldorado. La yerba-mate, el té, la mandioca, el tung, el tabaco, los citrus, son objeto hoy de una agricultura diversa y tecnificada que va ganando terreno a la selva y provee a una importante agroindustria. De la explotación racional de árboles de pináceas, con fibras aptas para la fabricación de papel, hablan las importantes plantas industriales de Puerto Piraí y Puerto Mineral.

Los esteros

Al llegar a Corrientes, lo primero que se advierte es el suave acento del *idioma guaraní* que domina en el diálogo de sus pobladores, en su totalidad bilingües. Es algo que lo envuelve todo. En una especie de encanto se va descubriendo cómo la tradición y el espíritu patriótico viven naturalmente en cada persona, en sus pueblos y ciudades, en los caminos, en sus iglesias y monumentos. Es difícil separarlos del resto. Su geografía, deprimida y cubierta de *esteros* en el centro —esteros del Iberá—, donde reinan el *yacaré* y el *irupé*, se eleva en los contornos y cae en pintorescas barrancas hacia los dos grandes ríos, Paraná y Uruguay, que la abrazan. La selva tropical ocupa los lugares altos y se escurre hacia el sur acompañando el curso de los ríos. Las plantaciones de arroz, apenas al borde de los esteros, las aguas de los ríos insólitamente coloreadas por las naranjas que arrastran hacia los puntos de selección y procesamiento, los tabacales, la mandioca esperada en los hogares para el casi ritual *chipá*, son parte de esta tierra correntina. La pesca del dorado o *"pirayú"* reúne todos los años en Paso de la Patria a los aficionados que compiten en el torneo internacional. Las *"riñas de gallos"* en Goya, son también motivo de atracción y concentración de público, espectador y apostador... Es bastante usual que el viajero en su estadía en Corrientes, coincida con algunas de las celebraciones que, a menudo, sacuden el ritmo pausado de sus habitantes: en materia religiosa, las manifestaciones de piedad en las fiestas de *Nuestra Señora de Itatí* y en *la de la Cruz del Milagro*; de carácter festivo y con deslumbrante colorido, el *Carnaval correntino*, cuya fama ha traspuesto los límites de la provincia; como homenaje al trabajo del hombre: *la Fiesta Nacional del Té* en Oberá, la *del Tabaco* en Goya, la *de la Naranja* en Bella Vista; en el mes de agosto, el homenaje al Libertador José de San

Martín en todo Corrientes y especialmente en Yapeyú donde nació; correntinos fueron muchos de los granaderos que lo acompañaron en sus campañas.

Destacamos que la parte sur de Corrientes, a partir de la ciudad de Mercedes, por sus especiales características debe ser incluida en la llamada *"subregión de las lomadas o cuchillas entrerrianas"*.

Las lomadas

Desde el sur de Corrientes y hasta la zona del delta del Paraná, es tierra de *lomadas* (como altura máxima apenas sobrepasan los 100 metros), de clima benigno y de abundante tierra negra para los cultivos. El bosque entrerriano, que en un tiempo fue llamado *selva de Montiel*, ha perdido su porte, pero se extiende en forma de *"bosques en galería"* de *sauces, ceibos, talas* y *ñandubay*, siguiendo el curso de los ríos que bañan la *pradera herbácea*. Sobre el Uruguay, se observan formaciones de palmeras entre las que se destacan el Parque y Reserva Nacional "El Palmar" en Colón, con miles de *palmeras yatay*, algunas de más de 800 años de antigüedad (hay algunos ejemplares petrificados) que crecen entre musgos y helechos en medio de un espléndido y misterioso paisaje de pradera, de médanos y arroyos. Por sus condiciones de suelo y de clima, Entre Ríos forma parte de la zona agropecuaria más rica del país; lo atestiguan sus abundantes cosechas de cereales y lino, la prodigiosa producción de cítricos, su numerosa y seleccionada ganadería y casi la mitad de la producción avícola de todo el país. La agroindustria acompaña el ritmo de la producción primaria. En su origen, tierra de *guaraníes* y de *charrúas*; a la población hispánica se unió la inmigración de otros europeos, especialmente de alemanes, desde mediados de este siglo; de esta última dan un encantador testimonio las colonias alemanas en Gualeguaychú. Por estas tierras pasaron los ejércitos patrios y fueron campo de batalla en las luchas por la Organización Nacional. Entre sus ciudades, Concepción del Uruguay fue capital de la Provincia hasta 1883; en su Colegio Nacional se educaron ilustres figuras del país. A pocos kilómetros de Concepción, puede visitarse el Palacio San José, imponente edificación, mandada construir para su residencia por el general Justo José de Urquiza. Paraná en las barrancas del río, está unida a Santa Fe por el túnel subfluvial Hernandarias de más de 2900 metros de largo; situada en un lugar estratégico, en medio de una espléndida vegetación natural, la ciudad de Paraná fue en su tiempo bastión de defensa frente al enemigo. Entre las obras de infraestructura realizadas, se destacan, además, el complejo ferrovial Zárate-Brazo Largo de gran importancia en la comunicación de la Mesopotamia con el resto del país y el de Salto-Grande que comprende, además, una central hidroeléctrica, obra conjunta de la Argentina y el Uruguay.

El Delta del Paraná

A poco más de 30 kilómetros del centro de la ciudad de Buenos Aires, uno de los más bellos paisajes del país. Antes de desembocar en el río de la Plata, el Paraná se dirige hacia el este y se divide en varios brazos y, a su vez, en canales y riachos que toman diferentes nombres y encierran numerosas islas de tupida vegetación. Todo contribuye a dar al paisaje ritmo y color: el verdor de los árboles, el rojo de la flor del ceibo, los naranjales, el agua que en algunos lugares es de un verde cristalino, las velas de los yates, el colorido de los productos transportados; el continuo revolotear de los pájaros, el dulce

mecerse de los sauces que bañan sus ramas en las orillas, el bullicio de las lanchas con escolares, el sonar de pitos y sirenas de las lanchas colectivas, la estela espumosa de las embarcaciones todas. En las islas, diversas y variadas construcciones: muelles y pintorescas viviendas, que, a la manera de *palafitos*, hunden sus pilotes en el agua; entre ellas, las de las hosterías y "recreos". Como centro de esparcimiento, el Delta ofrece además del simple placer de recorrer sus aguas en embarcaciones particulares o arrendadas, toda la gama de deportes náuticos apoyados por instituciones de prestigio: remo, esquí, motonáutica, yachting, surf; también pesca y caza de campo. El Delta es, además, el ámbito de una población estable; de los primitivos habitantes, los guaraníes, sólo quedan huellas en los nombres de los lugares; no existen núcleos urbanos, salvo algunos formados a raíz de la construcción del complejo Zárate-Brazo Largo. La labor es dura, las tierras son inundables y el hombre debe construir obras de defensa que le permiten obtener del suelo, plantas frutales y hortalizas; ha logrado también el crecimiento de *formio* y de *mimbre*. Pero en lo que más concentra su esfuerzo es en las plantaciones de pináceas, árboles ricos en celulosa para la fabricación de papel. Su gran aliado es el clima.

LA PAMPA

Comprende la *Pampa húmeda* en las tres cuartas partes de la extensión total de la región y la *Pampa seca* o *Estepa*; se extiende en la casi totalidad de las provincias de Buenos Aires y de La Pampa y en parte de las provincias de San Luis, Córdoba y Santa Fe.

Muchos, al hablar de la Pampa, es como si se refiriesen a la Argentina toda; cuesta corregir este error sobre todo si el viajero entra al país por Buenos Aires. ¿Quién lo convence de que estos 700.000 kilómetros cuadrados de *"pampa"* –casi el veinte por ciento del territorio nacional– no son todo el país? Su suelo plano, ligeramente ondulado al norte y noreste, algo deprimido en el centro, se transforma en planicie elevada, recién frente a las serranías cordobesas. Sólo es interrumpido por las sierras de Tandilia y de Ventania. A las barrancas sobre el Paraná y el Río de la Plata, sigue una costa baja, con médanos y playas, con algunos tramos rocosos y acantilados. El clima templado y húmedo, en la casi totalidad de la región, favorece el desarrollo de la pradera de pastos tiernos. Pampa significa *"tierra sin árboles"*. Sólo hay bosques en la periferia de la región: desprendimientos de la selva, junto al río Paraná y vegetación de *monte*, de pastos duros y árboles aislados, al suroeste, en la Estepa. En general, un paisaje natural monótono, sin las estridencias de las demás regiones. Pero el hombre, en la Pampa, ha modificado el escenario: millones de árboles traídos de todo el mundo –*pinos, álamos, paraísos, eucaliptus, aromos, palmeras*– hacen pensar en verdaderas formaciones forestales autóctonas; la tierra trabajada con esmero presta al conjunto colores distintos y cambiantes, según la época del año y la variedad de los cultivos: desde el lino hasta el girasol, los cereales y las forrajeras o los árboles frutales florecidos; todo, en espacios inmensos que se pierden en el horizonte. Completan este paisaje "natural" los miles de cabezas de ganado que pueblan los alfalfares, las altas torres de los silos, las bellas casas de las estancias agrícola-ganaderas —uno de los más bellos ejemplos es la casa de "La Biznaga" en Roque Pérez— y también los modestos ranchos a la sombra de los árboles. El hombre de campo de la Pampa, nuestro *gaucho*, hábil jinete, héroe anónimo en la gestación de la Patria, conserva costumbres y tradiciones que hacen de él un símbolo de la región; es fiel a su vestimenta, de infaltable *poncho* y *chambergo*, a su *facón*, a su *apero*, al *mate* a toda hora y al premio de *"un buen asado"*... Este paisaje bucólico hoy se ve interrumpido por la proliferación de espacios dedicados a la industria, ya que el 85% de la producción del país tiene su origen en los centros fabriles de la Pampa. Estos son los que, principalmente, determinan la desigual distribución de la población: muy espaciada en las ciudades y pueblos rurales del interior; abigarrada en las ciudades periféricas como Córdoba, Rosario, Buenos Aires, Bahía Blanca, etcétera y sus respectivos conurbanos, sedes de actividad industrial y, con excepción de Córdoba, de activos puertos.

En la Pampa, debido a sus dimensiones, es difícil abarcarlo todo en poco tiempo. El viajero puede disfrutar del espectáculo de sus campos, apenas se aleje unos kilómetros de los centros urbanos, y gozar en ellos de las tradiciones y costumbres del medio rural. Si acudimos a la Historia, cada lugar de la Pampa, tiene algo que contar. La fundación de sus ciudades —Santa Fe, Córdoba, Buenos Aires—, la amenaza del *malón*, la conquista del desierto, las luchas internas por el afianzamiento de la Nación, han hecho de cada ciudad, de cada pueblo, un protagonista. Algunos lucen con orgullo el haber sido en su origen simples *fortines* de avanzada del desierto; otros, como la ciudad de Córdoba, conservan casi en plenitud, el testimonio del pasado. Por ella es que se accede a la región serrana; preside, además, la apertura hacia la llanura y, en especial, hacia la Pampa. Por su estratégica ubicación geográfica y sus recursos naturales de fácil acceso, fue desde su fundación, en el año 1573, un polo de atracción para el poblamiento. Activo centro de tradición cultural y religiosa, tiene sus testigos en la Catedral, joya de la arquitectura hispanoamericana, en el templo y Colegio de la Compañía de Jesús, en el edificio de la Universidad, en el Cabildo, todos del siglo XVII, y en los conventos y casonas señoriales de acentuado cuño hispano que hablan de un pasado rico en todas sus manifestaciones. Hoy, Córdoba, sede de la Universidad de Córdoba y de muchas otras instituciones culturales, es puesto de avanzada en la economía de una extensa comarca agropecuaria, la segunda ciudad del país por el número de sus habitantes y uno de sus principales núcleos industriales; el proceso de industrialización transformó a Córdoba, en los últimos treinta años, en una gran ciudad, no sólo por el número de habitantes que en corto plazo se duplicó, sino, además, por el cúmulo y diversidad de actividades a que ello dio origen. En la Pampa, son polos de atracción de una densa población temporaria las ciudades balnearias de la costa atlántica, con Mar del Plata como el mayor centro turístico veraniego del país. Enclavada en una comarca privilegiada, (se habla de un excelente *"microclima"*) en ella lucen por igual el océano que baña sus amplias y numerosas playas, el especial gusto de su edifica-

ción, las flores que embellecen sus jardines y su porte de gran ciudad. Punto de atracción para entendidos y aficionados, es el "Haras Ojo de Agua" en El Dorado, junto a la laguna La Brava; tiene la bien ganada fama de haber producido, por selección, caballos de pura sangre de carrera, triunfantes en las más importantes competencias.

Rosario, la tercera ciudad del país, por el número de sus habitantes, exhibe con orgullo su puerto, al que acude la producción del norte y del centro de la República para alcanzar la ruta del Plata y del Océano. La especial idiosincrasia de los rosarinos, en su mayor parte de origen italiano, han hecho de Rosario un centro pujante de trabajo y de progreso, lo que queda a la vista en sus parques y avenidas y su moderna edificación. El Parque Belgrano, donde se levanta el Monumento a la Enseña Patria y a su creador —obra de varios escultores argentinos— rodea el lugar donde fue izada por primera vez; el parque Independencia, por su parte, es uno de los más bellos y extensos del país. En Santa Fe, además de su capital fundada por Juan de Garay, aún antes que Buenos Aires, no podemos dejar de nombrar a Esperanza, la primera colonia agrícola argentina, fundada en 1856 por Aarón Castellanos.

El hecho de finalizar este somero relevamiento de lo que la Argentina es y lo que la Argentina ofrece como país, con la región de la Pampa, no es casual; coincide con la feliz idea de Aldo Sessa de cerrar la serie de fotografías que integran la obra, con tres magníficas tomas hechas en la Estancia "Don Manuel", de Rancul, precisamente en la provincia de La Pampa. En ellas, la luz del fogón rodeado de arrieros, mate y guitarra en mano, reemplaza a la luz del Sol.

ELSA INSOGNA

◄
El Obelisco (detalle). BUENOS AIRES (Capital Federal).

▶
Avenida 9 de Julio. El Obelisco. IDEM.

Pág. 16.
Aspectos de la ciudad: a) Buque Escuela A.R.A. LIBERTAD empavesado y gavieros en las vergas. b) Los colectivos. c) Plaza Coronel Dorrego, feria de antigüedades. Barrio de San Telmo. d) "Las Nereidas", fuente de Lola Mora. Avenida Costanera Sur. e) Exposición en la Sociedad Rural Argentina en Palermo. f) Vista de la calle Florida desde la diagonal Roque Sáenz Peña. IDEM.

Pág. 17.
Granaderos a Caballo frente al Círculo Militar. IDEM.

a

b

c

◄
Teatro Colón, sala de espectáculos. BUENOS AIRES (Capital Federal).

▶
Teatro Colón, Salón Dorado. IDEM.

a

b

c

◄ Bailando el tango. Los bailarines son Alicia Orlando y Claudio Barneix. San Telmo. IDEM.

▶ Otros aspectos de la ciudad: a) Calle Caminito en La Boca. b) Esquina frente al Abasto en Balvanera. c) "La Primavera", mármol de Lucio Correa Morales y fotógrafo de plaza en el Jardín Botánico. Palermo. d) Casas típicas en la calle Caminito en La Boca. e) Avenida de los copones en el Parque Lezama. San Telmo. f) Partido de polo. IDEM.

b

c

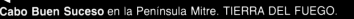

Cabo Buen Suceso en la Península Mitre. TIERRA DEL FUEGO.

a

En el extremo sur: a) **Isla de los Estados.** b) Vista de la ciudad de **Ushuaia,** capital de Tierra del Fuego. IDEM.

27

b

◀
Las primeras luces de la noche. **Ushuaia.** TIERRA DEL FUEGO

▶
La ciudad de **Ushuaia.** IDEM.

Págs. 30-31.
Lapataia en el **Parque Nacional de Tierra del Fuego.** IDEM.

◄
Laguna Verde en **Lapataia. Parque Nacional de Tierra del Fuego.** TIERRA DEL FUEGO.

Bosques de lengas. TIERRA DEL FUEGO.

▶
Zona de turberas. IDEM.

◄
Galpón de esquila en la **Estancia María Behety. Río Grande.** TIERRA DEL FUEGO.

►
Trabajo de esquila. IDEM.

Págs. 42-43.
Cueros secándose en los alambrados. IDEM.

Pág. 44.
Aspectos de la **Estancia María Behety:** a) Villa María. b) Conjunto habitacional. c) Panadería. d) Galpón. IDEM.

Pág. 45.
Casa de trabajadores. IDEM.

b

◀ Estatua de Juan Bautista Alberdi por Lola Mora en **San Miguel de Tucumán,** capital de la provincia. TUCUMÁN.

▶

Aspectos de la ciudad de **San Miguel de Tucumán:** a) Casa de la Independencia. b) Aljibe y estrellas federales en patio interior de la Casa de la Independencia. c) Galería del claustro del templo de San Francisco. d) Patio con aljibe de una casa de familia en el barrio Sur. IDEM.

Pág. 48.
Otros aspectos de la ciudad de **San Miguel de Tucumán:** a) La caña de azúcar. b) Casa del obispo Colombres en el Parque 9 de Julio; lapachos en flor. IDEM.

Pág. 49. Plantación de caña de azúcar. IDEM.

b

d

a
b

a

b

c

d

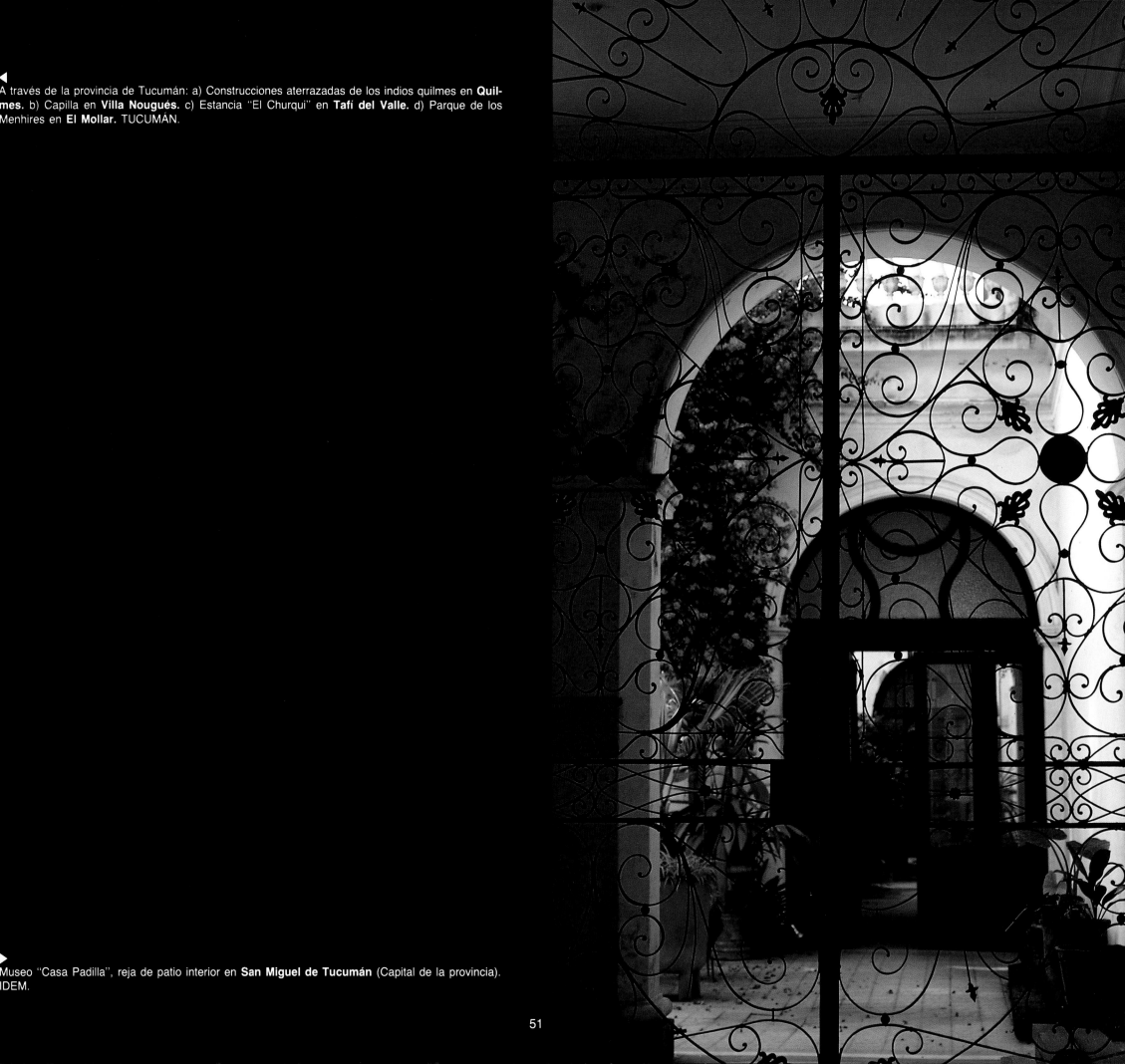

A través de la provincia de Tucumán: a) Construcciones aterrazadas de los indios quilmes en **Quilmes.** b) Capilla en **Villa Nougués.** c) Estancia "El Churqui" en **Tafí del Valle.** d) Parque de los Menhires en **El Mollar.** TUCUMÁN.

Museo "Casa Padilla", reja de patio interior en **San Miguel de Tucumán** (Capital de la provincia). IDEM.

◀ Cabras en **Carpintería**; al fondo, sierras de **Comechingones**. SAN LUIS.

▶ El arroyo Benítez en **Cortaderas**. IDEM.

Págs. 54-55.
Llama votiva en el Monumento a la Bandera. **Rosario**. SANTA FE.

◀
Palo borracho en **Los Chezes.** FORMOSA.

▶
Algunos aspectos de la provincia: a) Ganadería del trópico en **Pirané.** b) Cultivo de zapallos
formoseña. d) Cebú en un bañado. IDEM.

56

b

d

Vista de la ciudad de **San Fernando del Valle de Catamarca,** capital de la provincia, desde la
Cuesta del Portezuelo. CATAMARCA.

Iglesia y convento de San Francisco. IDEM.

◄
Estancia "La Martina" en la **Bajada de Míguenz.** SANTA CRUZ.

▶
Caballos en la nieve en la **Bajada de Míguenz.** IDEM.

Págs. 62-63.
Glaciar Perito Moreno en el **Lago Argentino; Parque Nacional de los Glaciares.** IDEM.

61

▶
Témpano. IDEM.

Págs. 66-67.
Glaciar Upsala. IDEM.

Catedral (s.XIX) y Plaza San Martín. **Salta** (Capital). SALTA.

Nave central de la Catedral. IDEM.

69

◄ a
b ►

La iglesia de San Francisco: a) Galería del frente de la iglesia de San Francisco (s.XVIII). b) Cardón en un patio interior de la iglesia. **Salta** (Capital). SALTA.

Fachada y campanario de la iglesia de San Francisco. IDEM.

◄ Patio interior del Cabildo; actualmente funcionan en este edificio del siglo XVIII, el Museo del Norte y el Museo Colonial y de Bellas Artes. **Salta** (Capital). SALTA.

b

d

◄
Gaucho salteño con su atuendo típico y guardamontes. SALTA.

►
Vasijas y tinajas en el taller artesanal de Víctor Cristofani. **Cafayate.** IDEM.

Pág. 76.
Amanecer en **Cerrillos**. IDEM.

Pag. 77.
Cultivo de tabaco en **El Carril**. IDEM.

Págs. 78-79.
Península de Llao-Llao sobre el lago Nahuel Huapi. **Bariloche.** RÍO NEGRO.

◄
Capilla de San Eduardo, obra del arquitecto Alejandro Bustillo en **Villa Llao-Llao, Bariloche.** RÍO NEGRO.

▶
Edificio de la Municipalidad en el Centro Cívico de **San Carlos de Bariloche**, conjunto edilicio de arquitecto Ernesto de Estrada. IDEM.

Álamos en otoño. Cerro López. en **Bariloche**. RÍO NEGRO.

Vista desde el cerro Catedral en **Bariloche**. IDEM.

Para deleite del viajero: a) **Península de Quetrihué. Parque Nacional de los Arrayanes.** b) Sequoias en la **isla Victoria.** NEUQUÉN.

◀ Muelle en la **isla Victoria.** NEUQUÉN.

▶
Lago Nahuel Huapi. IDEM.

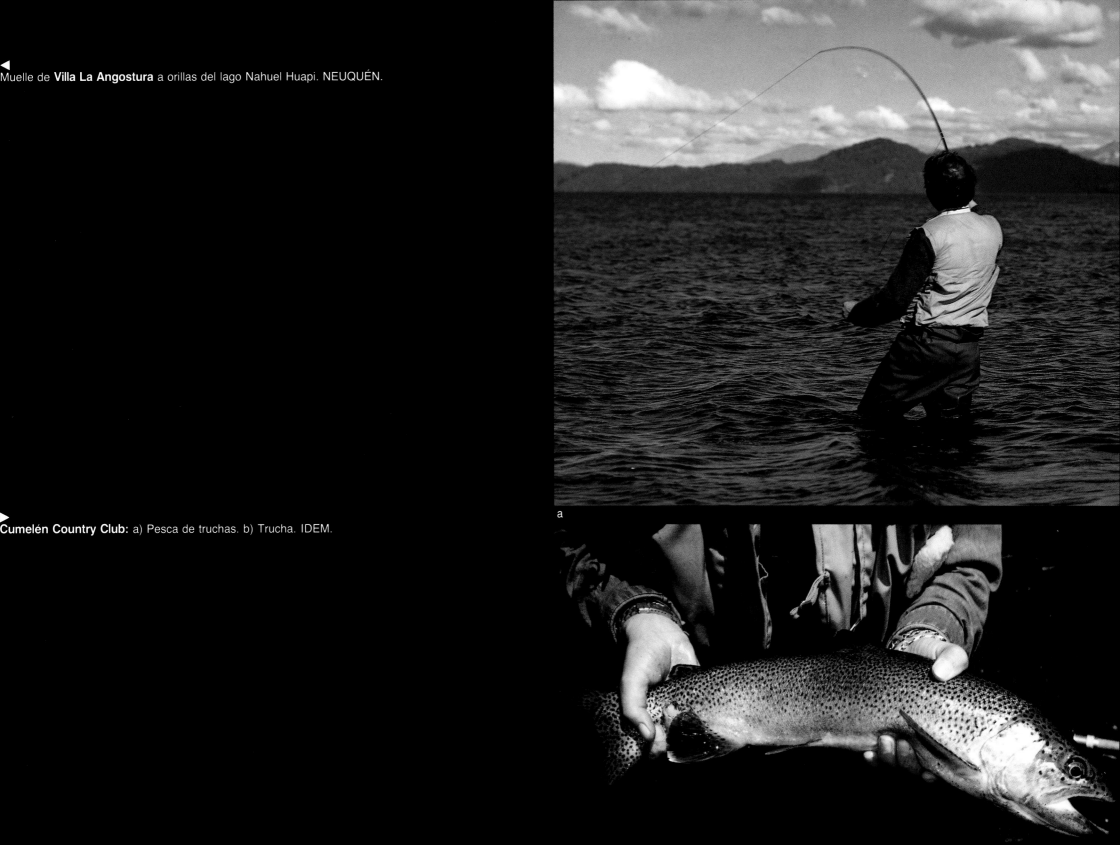

◄
Muelle de **Villa La Angostura** a orillas del lago Nahuel Huapi. NEUQUÉN.

►
Cumelén Country Club: a) Pesca de truchas. b) Trucha. IDEM.

a

◄
Museo Histórico Provincial que funciona en la casona que perteneció al marqués Rafael de Sobremonte. **Córdoba** (Capital). CÓRDOBA.

b

◄
Altorrelieve, primitivo escudo de la Universidad en el atrio del templo de la Compañía de Jesús. **Córdoba** (Capital). CÓRDOBA.

►
Altar de la Capilla Doméstica de la Compañía de Jesús. **Córdoba** (Capital). IDEM.

◄ Paisaje serrano. CÓRDOBA.

▶ A través de la provincia: a) Casa friulana en **Colonia Caroya.** b) Calle de plátanos. c) Campo de Golf en **Villa Allende**. IDEM.

b

a

◄ Estancia Santa Catalina: a) Fachada de la iglesia de la **Estancia jesuítica de Santa Catalina.** b) Altar de la misma iglesia. **Ascochinga.** CÓRDOBA.

▶
Jardines y edificio de la iglesia de Santa Catalina (s.XVIII). IDEM.

Págs. 102-103.
Claustro del convento en la **Estancia Santa Catalina.** IDEM.

Diversos detalles de la iglesia de Santa Catalina y otras edificaciones. **Estancia Santa Catalina.**
Aschochinga. CÓRDOBA.

Torre de la misma iglesia. IDEM.

Págs. 106-107.
Galerías del claustro. IDEM.

105

◀ Hachero de quebracho colorado en **General José de San Martín**. CHACO.

▶ Parque Nacional Chaco en **Colonia Brandsen**. IDEM.

Págs. 110-111.
Caleta Valdés en la **Península Valdés**. CHUBUT.

◄
Ballena franca del sur en **Puerto Pirámides**. CHUBUT.

►
Cola de ballena franca del sur. IDEM.

Págs. 114-115
Ballena franca del Sur. Al fondo, **Puerto Pirámides**. IDEM.

Pág. 116.
En la **península Valdés**: a) Elefante marino, macho. b) Vista aérea de la península. c) Guanacos.
d) Elefante marino macho (detalle). IDEM.

Pág. 117.
Más de lo mismo: a) Elefante marino, hembra. b) Pingüinera. c) Ballena franca del sur. d) Elefante
marino con cría. IDEM.

Págs. 118-119
Bosque Petrificado José Ormaechea en **Sarmiento**. IDEM.

a

b

b

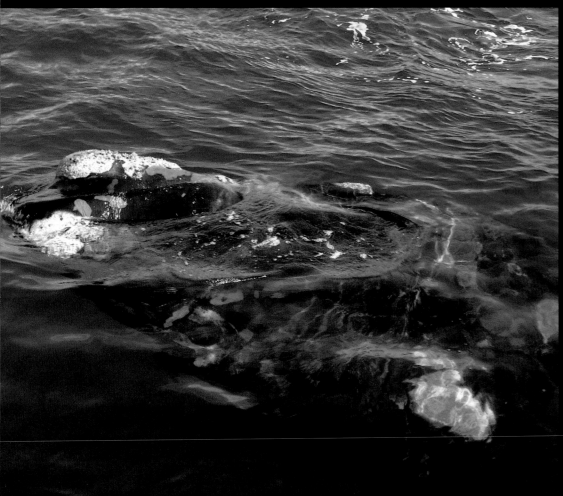

d

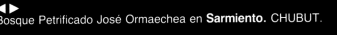
◄ ►
Bosque Petrificado José Ormaechea en **Sarmiento.** CHUBUT.

Pág. 122.
Antigua estación del ferrocarril, actualmente Museo Histórico Regional en **Gaimán.** IDEM.

Pág. 123.
Diversos aspectos de las colonias galesas. IDEM.

Pág. 124.
En la zona petrolera: a) Capilla del barrio "Diadema Argentina" en **Comodoro Rivadavia.** b) Bomba extractora de petróleo en actividad en **Caleta Córdova. Bahía Solano.** c) Bomba extractora de petróleo en desuso. d) Instalaciones en planta petrolera. IDEM.

Pág. 125.
En la misma zona: a) Bar. b) Bomba extractora de petróleo en actividad. c) Vista panorámica de la bahía Solano. d) Barcos varados en **Caleta Córdova.** IDEM.

Págs. 126-127.
Campo de explotación petrolera. IDEM.

b

b

d

Faro en **Caleta Córdova.** CHUBUT.

Instalaciones petroleras abandonadas. IDEM.

129

a

◄

Paisajes riojanos: a) Efectos de un remolino de viento dades de **Anillaco.** LA RIOJA.

►

Anillaco en el departamento de Castro Barros. IDEM

b

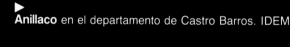

Págs. 132-133.
Parque Provincial de Talampaya. IDEM.

◀ **Parque Provincial de Talampaya:** "El Cóndor". LA RIOJA.

▶ "La Catedral". IDEM.

134

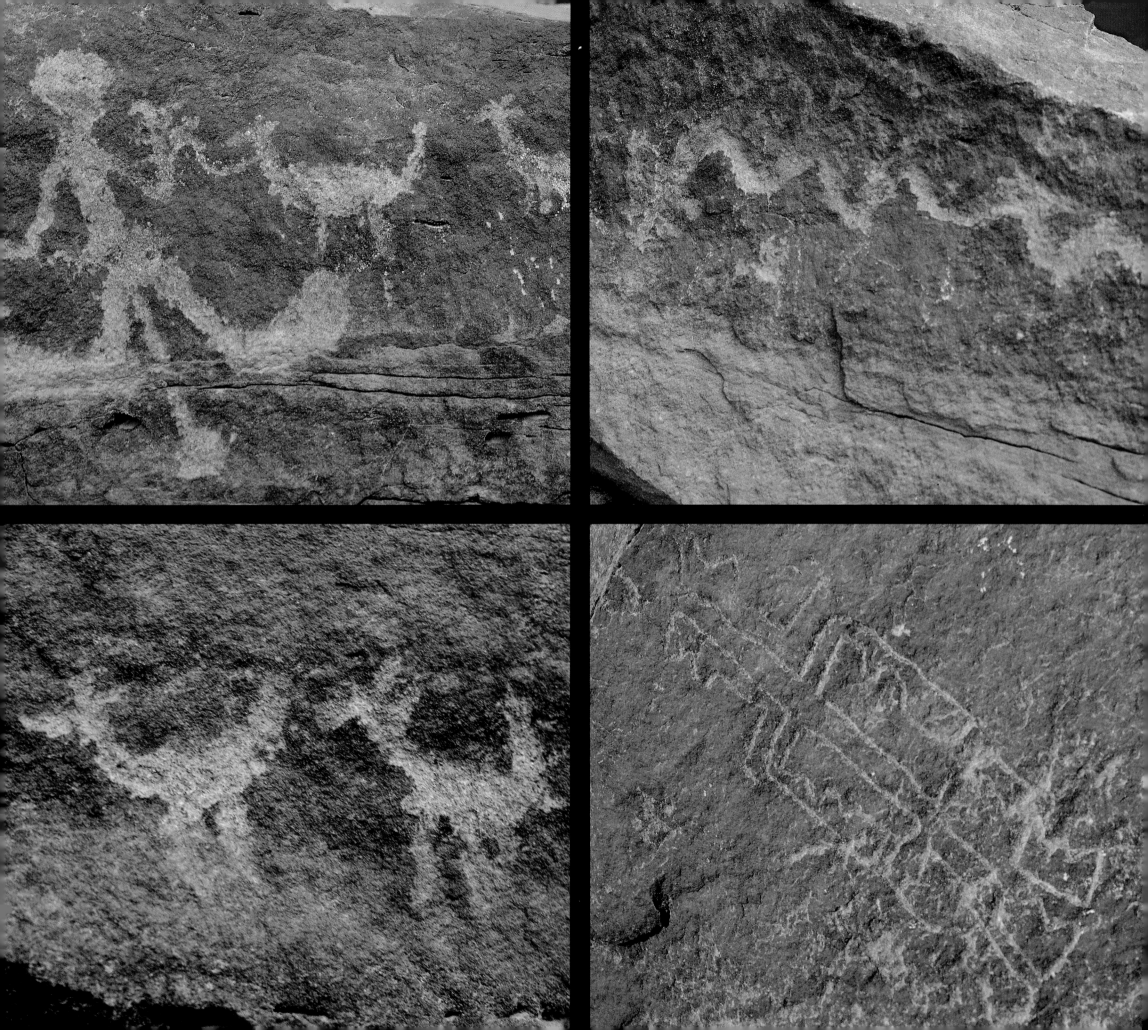

◀ Petroglifos (rocas grabadas por aborígenes de épocas prehistóricas) en el **Parque Provincial de Talampaya.** LA RIOJA.

▶ Vista general de los lugares donde se hallan los petroglifos. IDEM.

Págs. 138-139.
Parque Nacional Iguazú. Cataratas del Iguazú, vista aérea de la Garganta del Diablo. MISIONES.

◄ Cataratas del Iguazú: a) Garganta del Diablo. b) Las Cataratas en territorio brasileño. MISIONES.

a

▶ Las Cataratas del Iguazú en territorio argentino. IDEM.

◀
Garganta del Diablo en las Cataratas. MISIONES.

▶
Mirador en las Cataratas del Iguazú, **Parque Nacional Iguazú**. IDEM.

Págs. 144-145.
Cataratas del Iguazú. IDEM.

Págs. 146-147.
Ruinas de la Misión de San Ignacio Miní, reducción indígena establecida por padres de la Compañía
de Jesús (s.XVII). **San Ignacio**. IDEM.

a

b

c

d

Parque Provincial de Ischigualasto, llamado **"Valle de la Luna":** a) "Cancha de bochas". b) "El loro". c) "El submarino". d) "La esfinge". SAN JUAN.

Nota: Éstas, como las de las páginas siguientes, son extrañas formas talladas por la erosión fluvial en épocas remotas, posiblemente en el mesozoico.

"Lámpara de Aladino". IDEM.

Págs. 150-151.
Vista panorámica. IDEM.

Págs. 152-153.
Caballos de Marly. Grupo escultórico semejante al existente en los Campos Elíseos de París. Parque General San Martín. **Mendoza** (Capital). MENDOZA.

149

◀
Monumento al Ejército de los Andes en el cerro de la Gloria. **Mendoza** (Capital). MENDOZA.

▶
Parque General San Martín, diseñado por el arquitecto francés Carlos Thays. **Mendoza** (Capital).
IDEM.

Pág. 156.
Los viñedos: a) Viñedos en **Chacras de Coria.** b, c, d) Escenas de la vendimia de las bodegas "La
Rural". **Tupungato.** IDEM.

Pág. 157.
Bodega "La Rural": a) y b) Administración y Museo del Vino. c) Antiguo barril de vino de la firma
Rutini y Cavagnaro en el Museo del Vino. d) Antiguo camión de reparto. **Maipú.** IDEM.

Págs. 158-159.
Vendimia de la bodega "La Rural". **Tupungato.** IDEM.

a

b

c

d

b

d

◀
Monumento al Cristo Redentor en el **paso de La Cumbre-Cristo Redentor.** MENDOZA

▶
Villa turística de Las Cuevas. Vista panorámica. IDEM.

◀ El cerro Aconcagua desde la **laguna Horcones en el Parque Provincial Aconcagua.** MENDOZA.

a

▶
Puente del Inca: a) Vista panorámica. b) Aguas termales surgentes. IDEM.

b

◄ Diversos aspectos del complejo turístico "Las Leñas", en **Los Molles. Malargüe.** MENDOZA.

a

◄ Otros aspectos del mismo complejo: a) Esquiadores. b) Vista nocturna. IDEM.

Págs. 166-167.
Estancia "La Biznaga" en **Roque Pérez** (ruta 205). BUENOS AIRES.

En "La Biznaga": a) Geranios en el jardín. b) Escultura. c) Establos. d) Galería (detalle). IDEM

d

◄ Vista panorámica del Hotel Provincial y de la playa Brístol en **Mar del Plata.** BUENOS AIRES.

▶ "Villa Victoria", residencia de la escritora Victoria Ocampo. **Mar del Plata.** IDEM.

b

a

◄ En el paraje **"El Dorado"**, **laguna La Brava**: a) Casa del haras "Ojo de agua" de la Pampa argentina. BUENOS AIRES.

b

► Yegua de pura sangre con potrillo en el mismo haras. IDEM.

a

b

c

d

En el Noroeste: a) y b) Cerros y álamos en **Tumbaya.** c) Cementerio de Purmamarca (s.XVIII). d)
Cerro Siete Colores en **Purmamarca.** (Su nombre se debe a que a través del tiempo el desgaste de la
montaña dejó al descubierto los diversos estratos plegados por los movimientos del suelo). JUJUY.

Calle y artesanías. IDEM.

Pág. 180.
Las iglesias en Jujuy: a) Campanario y claustro de la iglesia de San Francisco en **San Salvador de
Jujuy,** capital de la provincia. b) Campanas de la misma iglesia. c) Interior de la iglesia de San
Francisco en **Tilcara.** d) fachada de la misma iglesia. IDEM.

Pág. 181.
Otras iglesias en Jujuy. a) Iglesia de la Santa Cruz y San Francisco de Paula (S.XVII) en **Uquía.** b)
Altar de la misma iglesia. c) Nave central de la iglesia de **Huacalera** (s.XVII), en **Tilcara.** d) Fachada
de la iglesia de **Huacalera.** IDEM.

a

b

c

d

b

Pucará de Tilcara. Vistas desde el interior. JUJUY.

El Pucará de Tilcara. IDEM.

183

◄
Vista de la ciudad de **Humahuaca** (s.XVI) desde la meseta. JUJUY.

►
Puerta de vivienda (s.XIX) en **Humahuaca.** IDEM.

Págs. 186-187.
Calle de la población con construcciones del s.XIX provistas de gárgolas para el desagüe de los techos. IDEM.

◀ Flores silvestres. **Gualeguaychú. ENTRE RIOS.**

▶ En **Gualeguaychú:** a), b) y c) Diferentes aspectos de **Colonia Alemana.** d) Vista del río Uruguay a la altura del **Parque y Reserva Nacional "El Palmar". Colón.** IDEM.

Pág. 190.
Palacio San José (s.XIX) en **Concepción del Uruguay.** Fue residencia del general Justo José de Urquiza; actualmente Museo Histórico Nacional: a) Copón de mármol en los jardines. b) Vista de los jardines desde la torre. c) Vista de los jardines, desde la galería. d) Capilla. e) Ornamentación de estilo pompeyano, realizada por Juan Manuel Blanes. f) Arcada del patio principal. IDEM.

Pág. 191.
Fachada del Palacio San José (s.XIX). IDEM.

Pág. 192.
Aspectos del Palacio San José: a) Monograma con las iniciales de Urquiza, realizado en oro. b) Campana. c) Techos de las galerías. d) Galería de los jardines. IDEM.

Pág. 193.
Salón del Palacio San José. IDEM.

b

a

b

c

d

e

f

b

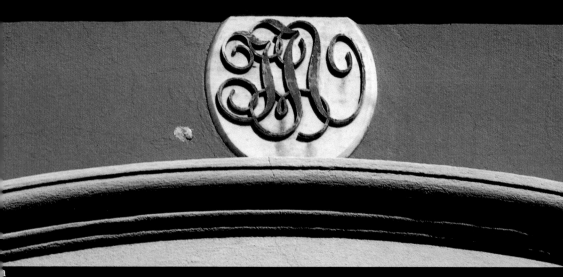

◄ Estancia Santa Cándida; anteriormente, saladero que perteneciera a Justo José de Urquiza. **Concepción del Uruguay.** ENTRE RÍOS.

▶ **Parque y Reserva Nacional "El Palmar". Colón.** IDEM.

Pág. 196.
Amanecer en **Colonia Tinco.** SANTIAGO DEL ESTERO.

Pág. 197.
En el interior: a) Carro con mulas en **Mansupa.** b), c) y d) Casa y corrales en **Huaico Hondo.** IDEM.

El río Paraná a la altura de **Goya.** CORRIENTES.

a

También en Corrientes: a) Iglesia Catedral de **Goya**. b) Navegando el río Paraná. IDEM.

199

◄ Otros aspectos de **Corrientes:** a) Vista aérea de los esteros del Iberá. b) Puente General Belgrano que une **Corrientes** con **Resistencia.** CORRIENTES.

a

▶ Riña de gallos en **Goya.** IDEM.

Platería rural argentina de la segunda mitad del siglo XIX: Mates, bombillas, facones, cuchillos, espuelas y chambao. (Colección del Museo Fernández Blanco).

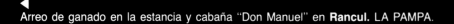 Arreo de ganado en la estancia y cabaña "Don Manuel" en **Rancul.** LA PAMPA.

 Vacunos Hereford (los famosos "Pampas"). IDEM.

Pág. 208.
Labores del campo en "Don Manuel": a) Yerra. b) Enlazado. c) Doma. d) Arreo. IDEM.

Pág. 209.
Arreo de ganado. IDEM.

Pág. 210.
Partes del apero criollo: a) y b) Cabezada. c) Estribo de plata y oro con monograma. d) Cabezada con cabestro. e) y f) Cabezada de tientos (detalles). IDEM.

Pág. 211.
Partes de la vestimenta y adornos del paisano: a) Rastra de plata. b) Rastra con monedas de plata y facón. c) Botas de potro. d) Bastos de plata con monograma. IDEM.

Págs. 212-213.
Descanso de los arrieros y fogón a la caída del Sol. IDEM.

b

◄ Doma al poste. Estancia "Don Manuel" en **Rancul.** LA PAMPA.

▶ Descanso de los arrieros y fogón a la caída del sol. IDEM.

212

◄
Escenas típicas: a) El mate y la guitarreada. b) El asado. Estancia "Don Manuel" en **Rancul.** LA PAMPA.

a

►
La luz del fogón reemplaza a la luz del Sol... IDEM.

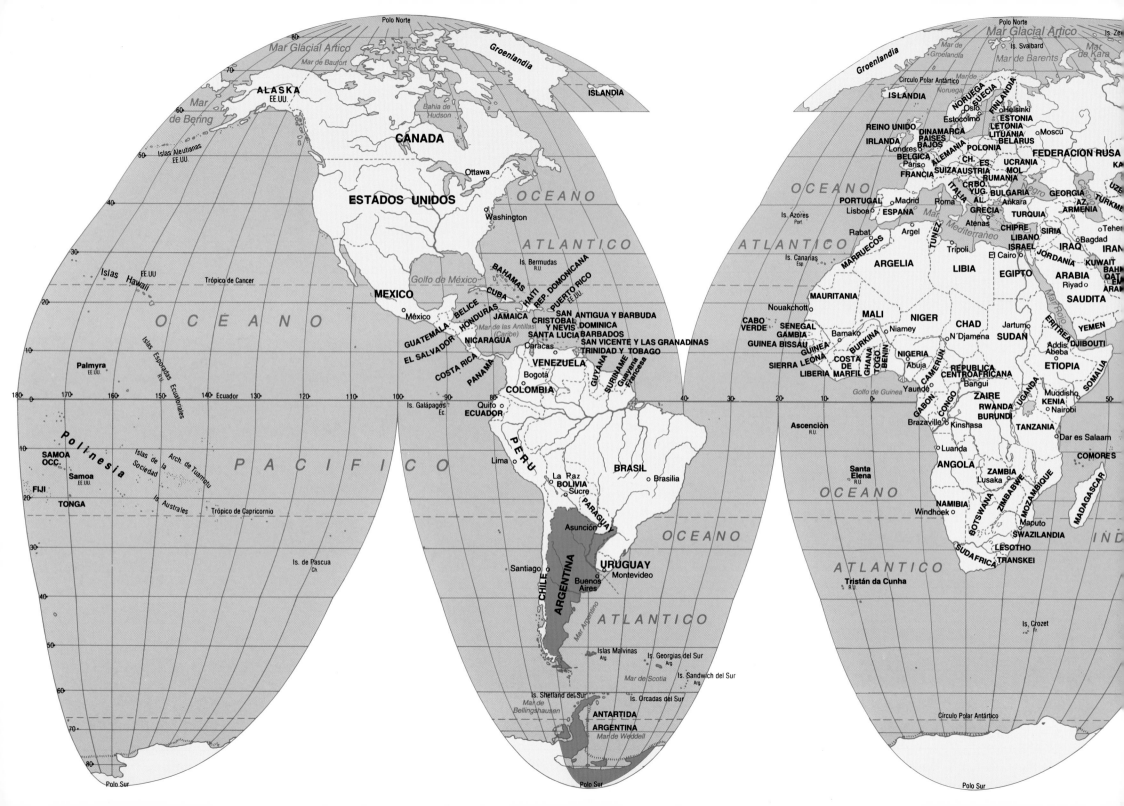

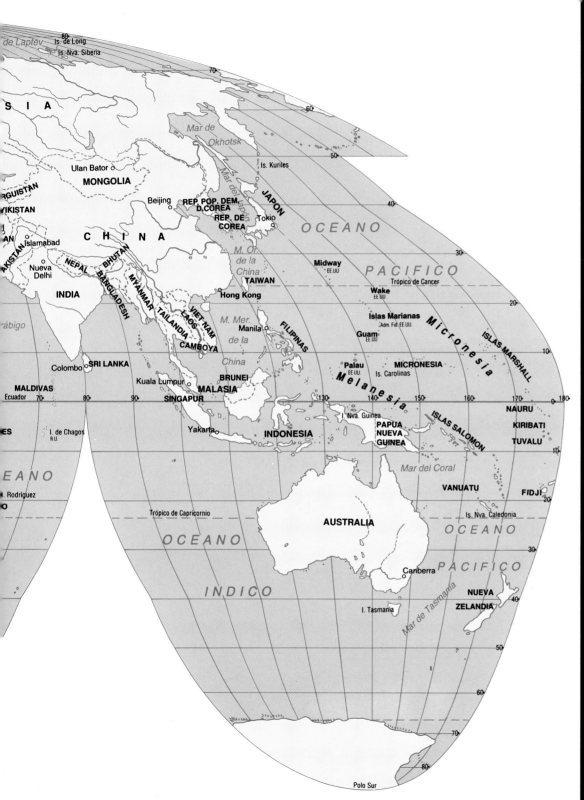

Bandera Naciona

Distancias aéreas, en millas, entre Buenos Aires y:

Atenas	7758
Berlín	7557
Caracas	3648
Ciudad del Cabo	5003
Chicago	6714
El Cairo	741·
Estambul	8108
Estocolmo	7892
Honolulu	8865
Lima	195·
Londres	6717
Los Angeles	6067
Madrid	6259
México D.F.	4584
Montreal	6365
Moscú	8478
Nueva Delhi	11032
Nueva York	6035
París	6930
Pekín	13947

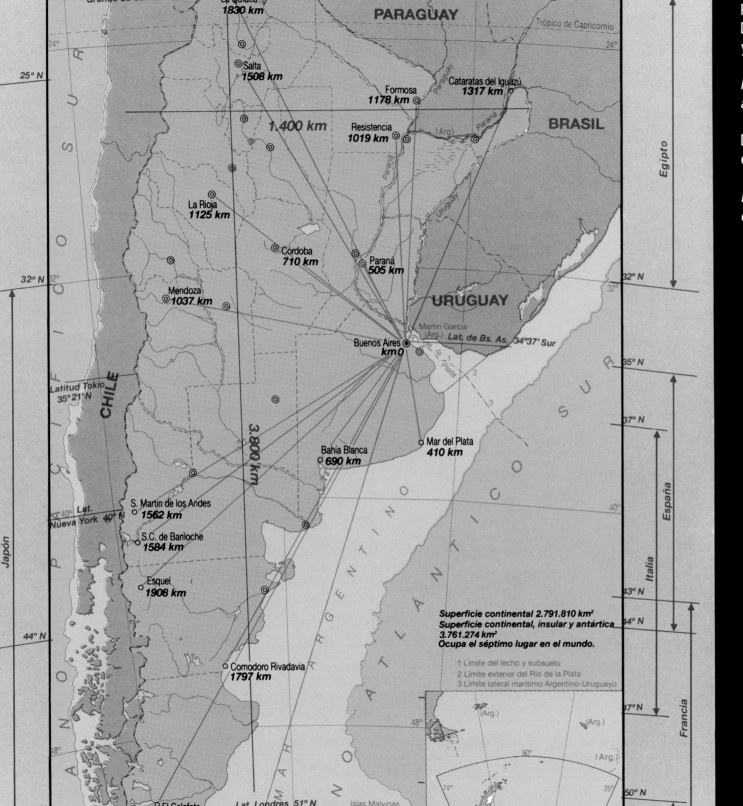

REPÚBLICA ARGENTINA:
Distancias internas
y latitudes comparadas

*Internal distances
and comparative latitudes*

Distances internes
et latitudes comparées

*Distâncias internas
e latitudes comparadas*

PARAGUAY

Trópico de Capricornio

24°

⊚ Salta
1508 km

Formosa
1178 km ⊚

Cataratas del Iguazú
1317 km ⊚

BRASIL

1.400 km

Resistencia
1019 km ⊚

25° N

24°

La Rioja
1125 km

⊚ Córdoba
710 km

⊚ Paraná
505 km

URUGUAY

32° N   32°

32° N

32°

Mendoza
⊚ **1037 km**

Martin Garcia
(Arg.)   *Lat. de Bs. As.* 34°37' Sur

Buenos Aires ⊚
km 0

35° N

Latitud Tokio
35°21'N

CHILE

3.800 km

37° N

Bahía Blanca
○ **690 km**

Mar del Plata
410 km

Lat.
Nueva York 40° N

S. Martin de los Andes
○ **1562 km**

40°

Japón

S.C. de Bariloche
1584 km

España

Esquel
○ **1908 km**

43° N

Italia

44° N

Superficie continental 2.791.810 km²
Superficie continental, insular y antártica
3.761.274 km²
Ocupa el séptimo lugar en el mundo.

44° N

Comodoro Rivadavia
○ **1797 km**

1 Límite del lecho y subsuelo
2 Límite exterior del Rio de la Plata
3 Límite lateral maritimo Argentino-Uruguayo

(Arg.)

(Arg.)

47° N

Francia

48°

(Arg.)

El Calafate

Lat. Londres 51° N

Islas Malvinas

50° N

REPÚBLICA ARGENTINA:
Aspectos físicos de su territorio
Aspects of its territory's topography
Aspects physiques de son territoire
Aspectos físicos do seu território

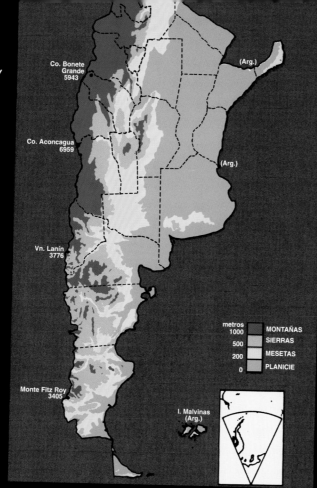

Co. Bonete
Grande
5943

(Arg.)

Co. Aconcagua
6959

(Arg.)

Vn. Lanín
3776

Monte Fitz Roy
3405

I. Malvinas
(Arg.)

metros	
1000	MONTAÑAS
500	SIERRAS
200	MESETAS
0	PLANICIE

REPÚBLICA ARGENTIN
Clima
Climate
Clima:
Clima

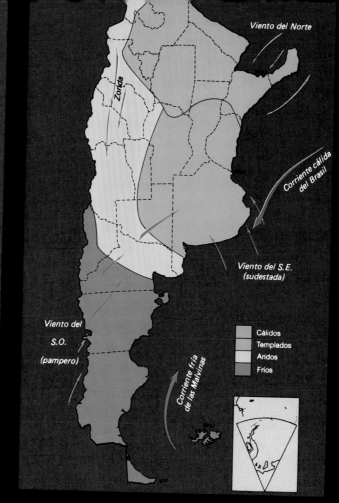

Viento del Norte

Zonda

Corriente cálida
del Brasil

Viento del S.E.
(sudestada)

Viento del
S.O.
(pampero)

Corriente fría
de las Malvinas

	Cálidos
	Templados
	Áridos
	Fríos

REPÚBLICA ARGENTINA:
Temperaturas medias anuales
Mean annual temperatures
Températures moyennes annuelles
Temperaturas médias anuais

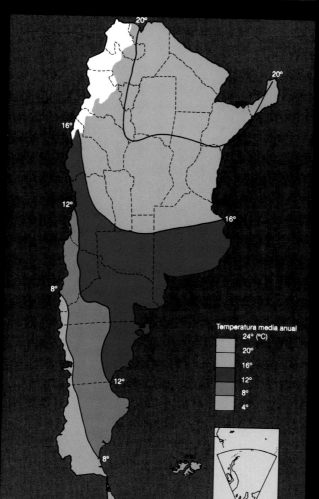

20°
20°
16°
16°
12°
16°
8°
12°
12°
8°

Temperatura media anual
24° (°C)
20°
16°
12°
8°
4°

REPÚBLICA ARGENTINA:
Regiones naturales
Natural regions
Regions naturelles
Regiões naturais

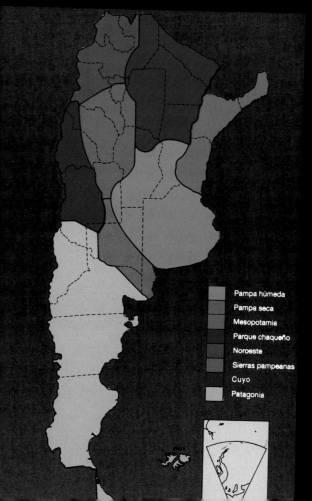

	Pampa húmeda
	Pampa seca
	Mesopotamia
	Parque chaqueño
	Noroeste
	Sierras pampeanas
	Cuyo
	Patagonia

INDICE DE LUGARES Y DE TEMAS

Map labels (República Argentina):

PARAGUAY

BRASIL

URUGUAY

CHILE

PCIA. DE JUJUY — San Salvador de Jujuy — Salta — PCIA. DE SALTA

PCIA. DE FORMOSA — Formosa

Cataratas del Iguazú — PCIA. DE MISIONES — Posadas

PCIA. DE TUCUMÁN — San Miguel de Tucumán — PCIA. DEL CHACO — Resistencia — Corrientes

PCIA. DE CATAMARCA — SGO. DEL ESTERO — Santiago del Estero — PCIA. DE CORRIENTES

San Fernando del Va. de Catamarca — PCIA. DE

La Rioja — LA RIOJA — PCIA. DE SANTA FE — Santa Fe

PCIA. DE SAN JUAN — San Juan — Córdoba — PCIA. DE CÓRDOBA — Paraná — PCIA. DE ENTRE RÍOS

Mendoza — San Luis — PCIA. DE SAN LUIS — L. Martín García (Arg.)

PCIA. DE MENDOZA — Buenos Aires — La Plata

Santa Rosa — PCIA. DE LA PAMPA — PCIA. DE BUENOS AIRES — Bahía Blanca — Mar del Plata

PCIA. DEL NEUQUÉN — Neuquén

S. Martín de los Andes — PCIA. DE RÍO NEGRO — S. Antonio Oeste — Viedma — S.C. de Bariloche

Esquel — Rawson — PCIA. DEL CHUBUT — Comodoro Rivadavia

PCIA. DE STA. CRUZ — El Calafate — Río Gallegos

OCÉANO ATLÁNTICO SUR — MAR ARGENTINO

Islas Malvinas (Arg.)

PROVINCIA DE TIERRA DEL FUEGO, ANTARTIDA E ISLAS DEL ATLANTICO SUR — Ushuaia

ANTÁRTIDA ARGENTINA

Trópico de Capricornio

1 Límite del lecho y subsuelo
2 Límite exterior del Río de la Plata
3 Límite lateral marítimo Argentino-Uruguayo

◄ REPUBLICA ARGENTINA: División política de su territorio / Political division of its territory / Divi-

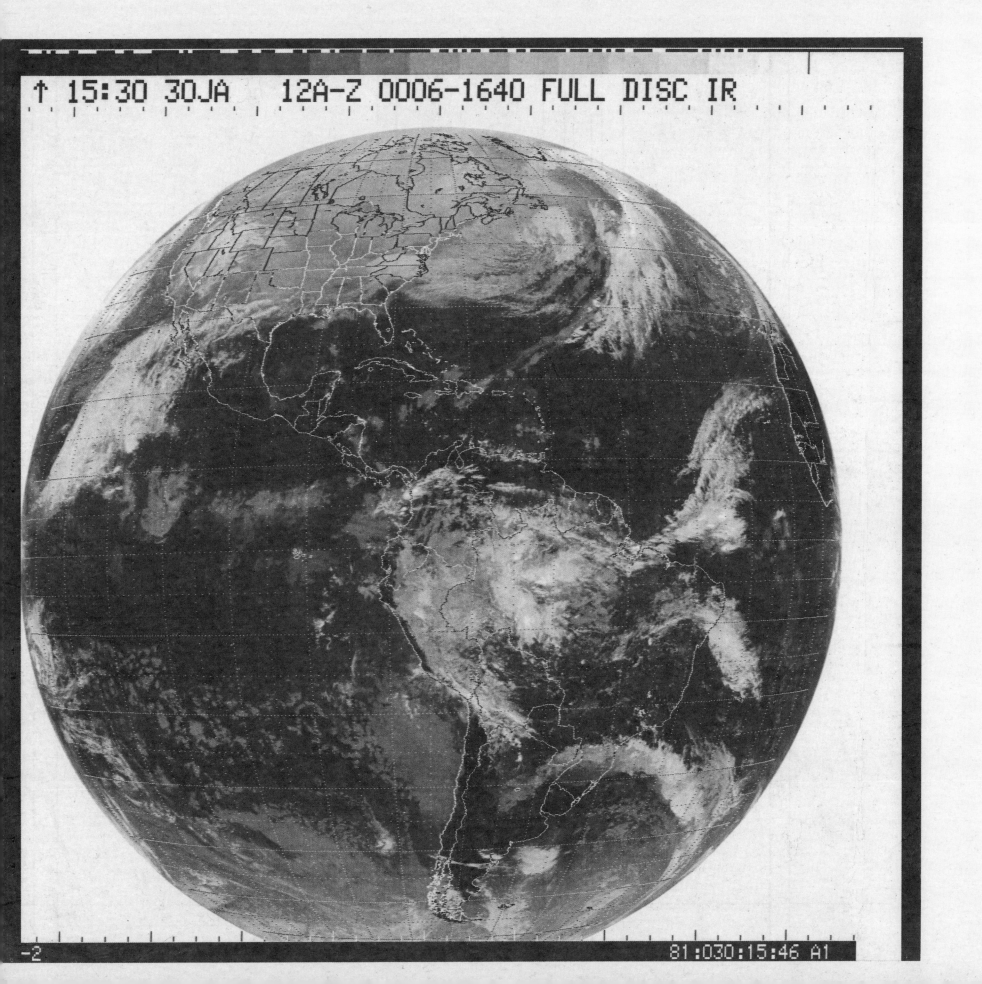

↑ 15:30 30JA   12A-Z 0006-1640 FULL DISC IR

81:030:15:46 A1

Globo terráqueo completo.
Fotografía satelital.
Fuente: NOAA, Departamento
de Comercio, U.S.A.

ARGENTINA. A photographic adventure.

Traducción de Susan Rogers

An adventure that begins right in Aldo Sessa's studio when he says, in exactly the same tone, "I'm going out to photograph the Obelisk" or I'm going down to Ushuaia"... and with little more than his cameras, he leaves. He returns soon, or fairly soon, depending on the distance, with his film and his valuable notes. He stoically awaits the results of the lab and then, with the photos on the view screen, he exclaims, "What luck!".

Luck?... It would be more appropriate to believe in his artistic virtues and in his professional rigor. He says that he "happens" on the scenes: a fortunate play of light among the trees (85)*..., horses that, just at that moment, happen to go down to a pond for a drink of water (162)..., city buses lined up as if they were about to come out of the gate at the Palermo racetrack (16b)..., a campfire ready for the "mateada"** (212/215)... Yes, things certainly do happen, but they are different when the one who sees them and places them on canvas or on film is an artist. In this sense, a thought once expressed by an Art teacher comes to mind: The nectar is in the flowers, free for any insect to take, but how different the end product is when it is the bee that sips it!

And here... the photographic adventure that Aldo Sessa shares with those who roam through these pages is set in the great geographic space that the Argentine Republic occupies. Its expanse, especially its latitudes, covers all kinds of landscapes, all types of climates. Crowned in the north by the Tropics (57, 138-147), its extreme south reaches frozen latitudes (27); reclining in the west on one of the highest mountain ranges on Earth (161), it stretches out its fertile plains rich in herds and flocks (206-209) and its arid plateaus (38-39) seek out the ocean sea (114-115) that laps at its eastern coast. For the delight of those who relish the past, Sessa's lens has also recorded the marks that time has left in passing throughout the country: natural monuments sculpted by wind and water (149), petroglyphs (136), pre-Colombian constructions (183), moving documents of the first babble of Spanish-American art (181a, b) and the most beautiful expressions of its brilliant zenith (101). He has also recorded some of man's activities like agriculture (41, 156, 208), oil drilling (124b), lumbering (204) or sports like fishing (200) or skiing (165).

There isn't enough space to analyze the many images. And also, it's better for each of you to savor them in your own way and to add your memories and nostalgia if you wish.

This book is neither a tourist guide nor a geography text, although these too could become works of art if done by Sessa.

It is especially designed for the visual recreation of those who venture through its pages. Prominent in this rich group of images is: *creation* in its overall structure; in its subjects, the *extraordinary* (16c, 148a), the *contrasts* that take us without further ado from the San Martin Park in Buenos Aires (17) to Isla de los Estados (26) at the "southern tip of the map"..., or directly from the votive flame at the Monument to the Flag in Rosario (54-55) to the foot of a "palo borracho"*** in the rain forest of Formosa (56); and *authenticity,* since none of the photos is a product of any artificial "truccatura".

This work represents Argentina in Aldo Sessa's eyes: "I stand on the mountain and I see..."; it is work done with liberty and without pressure. At times, he lingers on a subject as if he had fallen in love with it (65/67, 116, 117, 148, 180-181, 210-211). He has his preferences: he seems to prefer Uquía (181) to a richly ornate temple. And he even lapses into reiterations which we later realize are master strokes.

Without shunning the usual tourist spots entirely, he does seek places that are uncommon; such is the case of the Santa Catalina Ranch (100/107) of which the architect, Mario J. Buschiazzo, has said: "Not far from Jesus María, to the west where the sierras slope up, from 1622 on, the Jesuits built up the best and most beautiful of their ranches". Another is that street in Humahuaca with gargoyles for draining its roofs (186/187) or the mule-drawn cart in Mansupa (197a). We do feel sure that many of these places, thanks to the influence of Sessa's photos, will become part of the itinerary of those who enjoy them beforehand in this book; it's because we're traveling with an expert *teacher of the art of seeing.*

As a tribute to each of them, no Argentine province is left uninvited; some of you will feel that you want "a little more", but you must understand that this is a somewhat musical view of this immense country, so hard to grasp, to see and to comprehend. The lesser chords are not the least important ones...

And, just as in any adventure, the *maps* that help us to get our bearings and keep us from getting lost are most useful... A judicious selection of them at the end of the book (216/220) explains "where Argentina is located on the map of the world", the equivalent geographic location in the southern hemisphere of some of its cities in comparison to some of the best-known cities in the northern hemisphere" and "the kilometers summing up its great size and internal distances"; finally, a map

with the "territorial political divisions of the country", together with an "index of place names" which will help the reader to get his bearings and to situate the places "described" by the photos in the book. To the Argentine who, through these images, will love the country that witnessed his birth even more and to the foreigner who will grow to love it, we wish the best of success on this "photographic adventure".

* Page numbers of the photos referred to.
** N.T. tea passed around the circle of people at the campfire.
*** N.T. literally, "drunken tree".

The particular way Aldo Sessa has arranged the photos in this book suits his purpose: to *show the country's contrasts.* With this criterion, he not only holds the reader's attention but also highlights the rhythm and color that he uses as protagonists.

With this idea in mind, he felt the need for a text that would function as a kind of framework and point of reference to inform the reader on the places and subjects that the photos illustrate and also on their regional setting within the country's geography.

ARGENTINA. The Country.

The harmonious distribution of its topography facilitating communication between the most distant extremes of its immensity, the fortunate array of climates, the abundance of arable land, availability of water for irrigation and for power, subterranean hydrocarbons; the people whose high level of culture and acknowledged technical and professional capacity permit them to take advantage of all that progress, civilization and culture offer, who have no racial or religious conflicts, make Argentina the country where people from all corners of the Globe can feel at home.

BUENOS AIRES. Federal Capital of the Republic.

Each inhabitant of this port city, man or woman, feels that Buenos Aires belongs to him or her and so it's very difficult to say anything at all about the city. Because Buenos Aires is "just as it is"... it has neither great failings nor extraordinary graces. We love it, that's all... Buenos Aires is its streets and avenues, well paved or not; its modest neighborhoods, others not so modest and yet others that are opulent. Its buildings are most elegant in the best Parisian or London style in many parts; it is "landscaped" with towers and skyscrapers in others, there are whole neighborhoods done in exquisite good taste; and often, one must admit, helter skelter, heterogeneous and out of step with style of any kind. In its infernal traffic, the lurching buses or "colectivos" are the naughty little devils...

Buenos Aires is many things... Let's begin with the *trees*, a strange place to start in a large and populous city. "The Trees of Buenos Aires"! Trees everywhere, not only in the parks, designed by prestigious landscapers like *Carlos Thays*, who created the *Botanical Gardens*; in this park, more than 5 thousand species of plants from all climates, arranged with scientific criteria, share the grounds with bridges, statues and buildings of high artistic quality. In *Belgrano* and in *Palermo*, the streets are green tunnels; many of their trees have evergreen leaves. Others bloom, like the tipa [yellow flowers] and the jacaranda [purple flowers], covering the pavement with color; many a traffic light makes desperate efforts to get its signals through the tangle of branches, leaves and flowers... While in the *3 de Febrero Park* the *Rose Gardens* show their finest garb, the *Andalusian Patio* its enamelled tiles and the terebinth tree sways over the lake; near the *Recoleta Cemetery*, the immense, all-embracing rubber tree attentively meditates on the dialogues it hears from the bar tables beneath: love, economy, politics; not far off, the *umbra tree* stretches out lazily, captivated by the perfume of the opulent *magnolia*. Farther on, the *lindens* and the *mulberry trees* herald the Spring. A multitude of *jacarandas* adorn everything with their violet-colored flowers, even before putting out their new leaves; not to be outdone, the *palos borrachos* [literally, drunken trees] dress up in pink to say goodbye to summer. All of these, along with the upright *palms, oaks, pines* and *cedars*, inhabit the *parks of Buenos Aires*, possibly the best-wooded in all the world.

Buenos Aires is its fifty neighborhoods. Framed by a 200 square-kilometer polygon, its sides are the *General Paz Avenue*, the *Riachuelo* and the *River Plate*; however, the zone of influence of the Federal Capital extends into the suburban districts in the Province of Buenos Aires, forming the *Greater Buenos Aires* area. Some of these suburbs – *Vicente López, San Isidro, Tigre*, the *Paraná Delta, Bella Vista, Hurlingham, Adrogué*, among others, with their clubs, weekend or year-round homes, gardens and parks, form the city's extension and also its relaxation. Founded in 1580 by Juan de Garay (the so-called "first foundation" was actually only a precarious settlement). Buenos Aires lies on the banks of the Plate, wide and proud as a sea, but with fresh waters and "the colors of a lion". The porteños [port dwellers] would like to have their river nearer yet and to enjoy it in all its grandness without the obstacles set by the docks of the port, the power plants, the grain elevators, the train tracks... The *Costanera* [Coastal] Avenue partly satisfies their desires, and so do the upper floors of the tall and beautiful buildings that line the "lower" avenues: *Colón, Alem*, and *Libertador*.

Buenos Aires is designed like a checkerboard: its streets cross each other at right angles. Only a few diagonals interrupt this system. One long avenue, *Rivadavia*, runs from east to west, dividing it into two nearly symmetric parts. The *9 de Julio* Avenue, more than 100 meters wide, will soon run all the way through from north to south, its center decorated by the *Obelisk*, the modern symbol of the city, built by the architect Raul Prebich. This is the point of convergence of *Corrientes* and *Diagonal Norte* Avenues. When speaking of avenues we must mention the very Spanish and very Argentine *Mayo Avenue* that links the palace of the *National Congress* with the *Casa Rosada*, seat of the Executive Branch of the national government, on the *Plaza de Mayo* Square. We shall give in to the temptation and name some of the buildings in monumental Buenos Aires: The *Correo Central* [Central Post Office], the *Palacio de Justicia* [Court House], the headquarters of *national and foreign banks*, the *new buildings in Catalinas*, alongside the beloved buildings of its centenary *churches: San Ignacio, San Francisco, Santo Domingo, Nuestra Señora de la Merced*. A chapter apart should be reserved for the *Sculptures* that populate the parks, gardens and avenues, whose beauty, elegance and the valuable signatures underwriting them, surprise the passerby. Evidence of this is the incomparable sight of the *Monumento de los Españoles* [Monument of the Spaniards] by Agustín Querol; the *monument to General Carlos María de Alvear* by Antoine Bourdelle, who also sculpted *"The Wounded Centaur"* and *"Heracles"; "The Captive"* by Lucio Correa Morales; *"The Nereids"* by Lola Mora; *"Hymn to Work"* by Rogelio Yrurtia; *"The Archer"* by Alberto Lagos; the *monument to Nicolás Avellaneda* by José Fioravanti and, by Auguste Rodin, *"Sarmiento"*. Many mansions and palaces built around the turn of the century as private residences are occupied by museums, embassies and other institutions, thus saving them from the jackhammer of progress. Beautifully preserved and finely fitted out are, among others, the *Palacio Errázuris*, which houses the Museum of Decorative Art and whose architect, René Sergeant, was inspired by the façades by Gabriel that surround the Place Vendôme in Paris; the *Palacio Anchorena*, now the Ministry of Foreign Relations; palaces housing the embassies of Italy, the United States of America and of Brazil (the last two also by Sergeant) and of France, the *Papal "Nunciatura"*, the *Military Circle*, the *Fernandez Blanco Museum* in American Baroque style; the home of writer *Enrique Larreta*, now the *Museum* that carries his name, in pure Spanish style. We must also admire the beauty of the architecture that surrounds Carlos Pellegrini Square in the Retiro district.

In spite of its relatively short history, Buenos Aires is replete in memories more than in material evidence, since most of it has disappeared over the years. However, in safe corners of our memory, in letters and documents that have been preserved, it is easy to investigate the past and to reconstruct it accurately. The *Plaza de Mayo*, the former Plaza de la Victoria, is the cornerstone of the past; the *Cabildo* is its oldest witness; the *Metropolitan Cathedral*, in Neoclassical style, guards the mausoleum containing the remains of General José de San Martín. South of the Plaza we encounter the neighborhoods of *Monserrat* and *San Telmo*; in the one - or two-story residences that remain, some of them with grillwork, large courtyards and a well – the *Santa Casa de Ejercicios Espirituales* [Holy House for Religious Retreats] being an excellent example of this style of building – one might imagine the voices of many of the men and women who live on in the pages of our History; *Lezama Park*, another example of the amalgamation of nature with art, is nearby. In *Recoleta*, now one of the favorite and most elegant of the city's places to visit, we find the *Basílica Menor de Nuestra Señora del Pilar*, built in the 18th century, and the *Cementerio del Norte*, commonly called the Recoleta, built in 1822 in the style of the cemeteries in Genoa or in Milan; some of its tombs and mausoleums are works by famous artists like José Fioravanti, Pedro Zonza Briano – who sculpted the "Redeemer" on the main pathway – Alfredo Bigatti and many more. Other chapters of our new History can be found in the parks and squares, houses and churches of the neighborhoods of *Belgrano, Balvanera, San Nicolás, Retiro* and others.

Buenos Aires is its people. The Capital and surrounding suburbs embrace 10 million inhabitants. If we stroll down Florida, one of the busiest pedestrian thoroughfares, we are amazed by the *"Babel"* of races and nationalities around us and by the diversity of tongues or simply accents that they use in their conversations. All these people are the same ones who live in the neighborhoods of this port city and who share it among themselves without conflicts referring to origins or religions. This is the reason behind the profile of the people of Buenos Aires: cordial, open, spontaneous, warm.

The city hosts the most important of the national universities, various private universities, high schools, traditional schools, academies and research centers; at the same time, it is frequently chosen as a meeting place for national and international meetings, symposiums and congresses in all areas of knowledge. The *National Fine Arts Museum* on Libertador Avenue houses a large quantity of paintings and sculptures of all epochs and schools. Public, state and private libraries and diverse

archives are at the service of scholars and dilettantes. The *Galileo-Galilei Planetarium*, set in the beautiful Palermo gardens, is very well organized and able to offer valuable information on the latest advances in Astronomy and Astroscience to students and scholars. Leaving the Planetarium and walking towards *Plaza Italia*, we go down the splendid *Sarmiento Avenue*, flanked on one side by the *Zoological Gardens* where children as well as the adults with them are delighted by the exotic animals and by the no less exotic constructions that house them; on the other side, we pass the 3 de Febrero Park and come to the property where the *Argentine Rural Society* holds the *National Livestock and Industrial Exposition* each year in July and August. The multitudes who attend this "country festival in the city" can appreciate, in the spectacular animal specimens exhibited there, the effort made in this country to preserve the prestige of having produced some of the world's finest livestock.

As for nightlife, Buenos Aires has a wealth of theaters and movie houses. The *Colón Theater* is one of the most famous opera houses in the world; its beautiful building, like that of the *Cervantes National Theater*, is an architectural jewel: the Colón is an example of turn-of-the-century construction; the Cervantes is in the purest Spanish plateresque style.

In questions of sports, futbol [soccer] in Buenos Aires is far more than a spectator sport: it is a passion that goes beyond limits of age and socio-economic condition, is above political differences and invades everything... The matches between *River Plate* and *Boca Juniors*, the two clubs having the largest number of fans, steal the foreground of daily news in all the mass media. "Soccer polemics" begins in the home, breaks loose in the stadium, is prolonged in school, in the doctor's office, in all offices, in university seminars... There are certainly no fewer fans of the *turf*, called "the burros" in slang; the two great racetracks: the Buenos Aires in Palermo and the San Isidro in the Province of Buenos Aires, belong to the Jockey Club; they are stages where horses from famous Argentine as well as foreign stud farms show off their colors. Our *polo* proudly exhibits 40-handicap teams, among the best in the world, whose mounts are internationally famous for their excellent quality and training.

We cannot conclude this description of Buenos Aires without turning our attention to one of the most attractive areas for tourists' visits as well as for the pleasure and recreation of the inhabitants of this big city. The town of Tigre – "the Tigre" for us port-dwellers – is the port of departure for the *Paraná Delta*, whose description the reader will find further on; not many kilometers from the center of Buenos Aires, the traveler can fully enjoy a half-wild, semi-tropical landscape. An excursion through its rivers and canals in any of the many types of boats available is a memorable experience. No less memorable is a stroll through suburban *San Isidro*, full of history and of admirable homes and gardens. Back in the city, one can enjoy the best international cuisine and also have the pleasure of tasting the best beef in the world in steakhouses established either in the heart of the city or on the *Avenida Costanera* [Coastal Avenue]. Not without pride, the city offers streets and avenues – *Florida, Santa Fé, Alvear, Arenales, Callao* and others – where the stores are showcases for the outstanding elegance and good taste of both men's and women's clothing and accesories; the same can be said of the objects providing beauty and comfort for the home, the office and the garden. Even in the periferal neighborhoods, certain streets group shops which boast of the Argentines' good taste and predilection for things well made and well displayed; such is the case of *Cabildo Avenue* in the Belgrano district. A worthwhile tour can be taken through *San Telmo*, which has become the domain of the antique dealers, especially on Sunday, when the Coronel Dorrego Square is transformed into the *"San Telmo Fair"* where "old" things as well as real antiques can be discovered and purchased. In San Telmo, in La Boca (Caminito Street) and other places in the city, the visitor can listen to the *tango*, deeply rooted in popular tradition, see it danced by experts or even do it if he or she so wishes. The names of [tango singers and composers] Carlos Gardel, Homero Manzi and Julio De Caro are associated with its beginnings and are "present" in all these places.

THE MOUNTAIN AND THE PLATEAU

THE NORTHWEST

This includes the Province of Jujuy and part of the provinces of Salta, Catamarca and Tucumán.

The Puna [high tableland] in the northwest affords a strange, peculiar panorama: the august severity of the high plateau where the white wind, clumps of ichu [a coarse, bristly grass] and the cacti reign sovereign. In the domain of the subandean ranges, the mountains are old, shaped by earthquake, wind and water; ravines carved out by the rivers are doors opening onto the magnificent amphitheaters of the valleys. In all, a complex landscape whose searing days under cloudless skies give way to freezing nights; it varies from the most arid conditions where only the wiry desert grass survives in the west, to the eastern tropical forest rich in marvelous flowering trees, the jacarandas and lapachos [catalpa]; in the center of this region, stands of upright giant cacti on hills and in ravines form the habitat of guanacos, alpacas, vicuñas and llamas. This is where the conquerors arrived from Peru and this is where they stayed; even today, the valleys lodge very old towns which embrace the zealous symbiosis between the aboriginal and the Hispanic veins. This explains the survival of ancient agricultural techniques along with those the Spaniards brought over, the clothing in which the Indian poncho mixes with the shawl women use just as in Madrid or in Andalusia, the charming embroidered wrappers or blouses, the Indian sandals and the rich folk music, not to mention the religious celebrations which combine the purest pantheism with the most refined Christian beliefs. The men who came afterwards with their oil rigs, their dams, their technified farming and ranching, their blast furnaces or uranium mining, feel pleasantly trapped in the nets of solidly-woven traditions and willingly drink the red chicha (liquor made by fermenting peanuts) they are offered on the roadside, wear the red Calchaquí poncho or the red and black Salta poncho and enjoy the delights of evening on the cool porches of red-roofed houses. A well-stocked archeological treasury for students and researchers, a showcase for folk music whose melodies reach far beyond the region, legitimate traces of Hispanic art, beautiful and unusual landscapes, signs of modern and promising economic activity, all make the northwest one of the most attractive tourist areas in Argentina. Just a few of the realities of this region that the traveler can put into his saddle-bags are: In La Quiaca in Jujuy, all the color of *"La Manca Fiesta"*, one of few swapping fairs still held in the country; the visit to *Humahuaca* in the deep valley of the same name, the entryway to the Puna and a remarkable archeological deposit; nearby, in Tilcara, the accurate reconstruction of the *Pucará* and the symphony of colors on the mountain in *Purmamarca*. In *San Salvador de Jujuy*, the marvellous nandubay [hard, red wood] carved *pulpit in the Cathedral* and the *Church of San Francisco*; in *Uquía*, the town's *church* whose architecture is characteristic of the Altiplano. Going on to Salta, the roads lined with lapachos, carob trees [a tree with purple flowers and edible fruit] and palos borrachos ["drunken tree" with bulbous, spiny green trunk and splashy pink, yellow or white flowers] in the *Lerma Valley* lead to the impressive *Toro Valley* that can be crossed on the "train of the clouds". Leaving *Cafayate*, in the deep valley with the same name, the spectator's attention is drawn to the vegetation and the strange forms carved in the mountain by the weather. *Salta*, rich in tradition, attracts admirers with its capital, Salta "the beautiful", its *Cathedral, Cabildo* [colonial government house] the *Church of San Francisco*, the *Convent of San Bernardo* and especially its old houses; in the other cities and towns, a rich vein can be discovered in mixtures of piety, history and folklore like the *Feast of the Milagro*, or *of the Candelaria, Carnival* or the *"Guardia bajo las estrellas"* [Vigil under the stars]. And in the midst of difficult terrain, fields are covered with tobacco, grapevines, sugarcane and grains; there is abundant livestock, especially relatives of the camel and sheep, and also forestry, mining, oil and gas production and hydroelectric projects. *Tucumán*, on the only route in colonial times between Alto Peru and Buenos Aires, was a scenario for events of the Conquest and later history. The rapid growth of its population was due to the number and variety of its natural resources: in a short time, Tucumán, the smallest Argentine province, became one of the most densely populated areas of the country. Its capital, *San Miguel de Tucumán*, where Independence was declared on 9th of July, 1816, is now a rich agroindustrial center and the seat of the *National University of Tucumán*, one of the country's most important cultural centers. The exclusive cultivation of sugarcane and the establishment of sugar refineries has been supplemented by other crops and by the establishment of diverse industries producing machines, transport vehicles, electronics, paper, etc. Tucuman, called "the garden of the Republic", offers the traveler very beautiful spots, full of tradition, like *Tafí del Valle, Villa Nougués* and *Quilmes*.

THE CUYO REGION

This includes the andean area and the Piedmont plains of the provinces of La Rioja, San Juan and Mendoza.

As far down as northern Neuquén, in the stony semidesert of the Arid Andes, domain of the *Aconcagua* and of other mountain giants, the oases of cultivated fields spring up like miracles along the banks of rivers that flow from the ranges down canals and irrigation ditches, guarded by the cool poplar groves. There, the olive trees and the grapevines calm the nostalgia of men born in the sunny lands of the European Mediterranean and their descendents. Children of immigrants, mainly Italians and Spaniards, they form a unique ethnic group in the mediterranean lands of South America; unlike the other andean areas of the continent, there is practically no trace of the aboriginal population. In the oases created by the rivers and expanded by man's labor, the original cultivation of the grape has been supplemented with fields of vegetables and orchards of olive and fruit trees, as well as herds and flocks. When Spring arrives, the Cuyans, like their European ancestors, climb the mountain with their animals in search of tender pastures, especially for the cows; the sheep and goats go along with them, though being less demanding they browse on the edible parts of the spiny vegetation of the monte [drought-resisting bushes]... An important mining region with limestone, marbles (Travertine in San Juan), fine clays, and also metals and uranium, its *petroleum* production is the most important of

all, carrying considerable weight in the national power quota; *Luján de Cuyo* in Mendoza is one of the country's main refineries. To speak of industry in the Cuyan provinces is to speak first and foremost of *wines*; produced with high technology as well as exquisite craftsmanship, legitimately inherited, they compete with the best wines in the world. Other fruit and vegetable produce provides raw material for a well-organized food industry. The high rates of both production and consumption in this region have encouraged many large industries in the country to set up branch plants here. The high mountains are Paradise for climbers from all over the world; international centers for winter sports with very modern infrastructures have become especially important in recent years. Other landscapes, lacking the pleasures of snow or of oasis but no less beautiful, stretch toward the east; such are the sandy, salty plains of the *travesía* [the trek], which inspired passages of Sarmiento's famous novel, *Facundo*, or the natural monuments in the *Valle de la Luna* [Valley of the Moon] in San Juan, fashioned by wind and water, whose strange shapes and archeological reserves astonish visitors. When they arrive in Cuyo, they are first struck by the snowy peaks and then by the happy chant in the irrigation canals that crisscross the fields, making plant growth possible. Wineries and vineyards will be on the itinerary and in March, they will enjoy the *Wine Harvest Festival*. The traditional "wine road", formed by the towns of *Tupungato, Maipú* and *Luján*, has received its name from the quantity of wineries on the way and is one of the most famous oases on the American continent; its particular microclimate provides optimal conditions for the production of the best grapes and the finest wines. In the *city of Mendoza*, they can visit the historical spots that witnessed the life of General José de San Martín, the Liberator: the house where he lived, documents of the Andes Campaign, the flag of his army. They can also admire the design of the park named after the Liberator, done by the French architect, *Carlos Thays*, a magnificent sampler of tree species brought from all over the world; this Park slopes up onto the *Cerro de la Gloria* with its Monument to the Army of the Andes. Outside the capital, there are famous spas like *Cacheuta* and *Villavicencio* and the now half-abandoned but no less famous *Puente del Inca*; also, the tourist village of *Las Cuevas* and not far from there the *Monument to Christ the Redeemer*; and the famous ski centers in *"Los Penitentes"*, *"Potrerillos"* and the newest and most spectacular tourist resort of *"Las Leñas"* in Los Molles near Malargüe. In cultural matters, Mendoza is home to the *University of Cuyo*, which has various departments, schools and interesting museums. *San Rafael*, the province's second city, was an outpost in the conquest of the Desert; a few kilometers away, the *Nihuil Dam* can be admired. *San Juan* participates in the energetic development of the wine industry with the same natural and human resources that characterize the entire region. The capital city is the scenario immortalized by Sarmiento in his book, *Recuerdos de Provincia* [Memories of the Province]. The *National Sun Festival* in the month of August and the Ifchigualasto Provincial Park, called *"Valle de la Luna"*, which has already been mentioned, are a few of the other attractions in the Cuyo region, "land of the sun and of good wine".

PATAGONIA

This includes the southern part of the province of Mendoza, the provinces of Neuquén, Río Negro, Chubut, Santa Cruz and Tierra del Fuego, Antártida e Islas del Atlántico Sur.

On the map, there is an enormous inverted triangle with an area of 750,000 square kilometers; its base lies on the southern limits of Cuyo and of the Pampa and its apex in the south is the *finis-terrae* [land's end] of the country before it leaps to the frozen domains of the Antarctic. The generalized name of Patagonia defines, however, *two very different landscapes*: the *andean* to the west and the high plateaux to the south that drop in terraces down toward the ocean and sink into its waters.

The Patagonian Andes

From latitude 36 on down toward the south, *the andean mountain* leaves behind its stony, arid mien; at this point, the moist winds from the Pacific dampen its valleys and so its slopes dress in green forests that climb its heights. It is a splendid sampler of tree species, some of them unique among the world's flora: the tall and slender "pehuén" [monkey puzzle] pine, the portly "coihue" [Chilean evergreen beech] the gigantic larches, the oaks, the raulí [another type of evergreen beech] the beautiful myrtles, the many other beeches... are reflected together with the snow-capped peaks in the transparent greens and turquoises of the lakes, reigning over the violets, the wild strawberries and white lilies, competing favorably with the most treasured Alpine scenes... Its settlers see it this way, many of them Europeans and their descendents who brought their customs and handcrafts to these places which they inhabit without nostalgia, lending their love to an environment they adapted to with ease. It is often the traveler, attracted by the landscape, the big game hunting, the trout fishing, the colorful sight of the famous ski slopes, the excellent cuisine, the affable people, who decides to return, sometimes to make his home there. Farther south, as far down as Tierra del Fuego, *the glaciers*, enormous fields of ice, begin to hurl their shoots of ice down into the lake in an impressive, thundering show of might as soon as the caressing sun warms them; this experience is invariably described by travelers who have been to the *Moreno* and the *Upsala*, the latter considered the largest in the world, on Lake Argentino; a boat trip on its waters, among the ice floes, is a thrilling experience. Thus we get to where the land ends... where the lenga [a beech], the nire [a high-altitude evergreen beech] and the cinnamon tree defy the winds that sweep the grassy steppe, impetuous rivers, glaciers and swampy peat bogs, a fitting final curtain on the geography of this great Mountain Range. Full enjoyment of it requires some information on the *National Parks*: the *Lanín*, the *Nahuel Huapí, Los Arrayanes, Los Alerces, Los Glaciares*, among others, offer all the delights we have described in their *forests* with game preserves, in their *ski resorts* like *Chapelco, Cerro Catedral* and *La Hoya*, in the enormous quantity of *lakes* with changing sceneries – *Lacar, Nahuel Huapí, Correntoso, Lolog*, etc. – ideal for fishing and water sports. No less attractive is the prospect of touring the Parks on horseback, on different types of boats across the lakes or over the river rapids, or of embarking on an adventure in vehicles specially equipped for roadless, rough terrain. Of the cities, *San Carlos de Bariloche*, gracing the shores of the Nahuel Huapí with alpine airs, is the lovely gateway to one of the most beautiful areas in the world. Its activity is based on year-round tourism; at the same time, it hosts the *Balseiro Institute* in the Bariloche Atomic Center, which trains engineers in nuclear energy and physicists; it also hosts the world-renowned *Camerata Bariloche* and the *Centro de Capacitación de Guardaparques* [Forest Ranger Training Center], the largest in South America. Its *handcrafted-chocolate industry* has earned international prestige. *Ushuaia*, the capital of Tierra del Fuego and the southernmost city in the world, stands today as a beacon of progress thanks to its breathtaking rate of industrialization which has also attracted a stable and enterprising population to these latitudes. Other signs of progress are the projects underway for the *production of power and irrigation* for the entire region: the *Ezequiel Ramos Mexía Dam* in *El Chocón* (for the production of one and a half million kilowatts); the *Florentino Ameghino Dam* in Chubut; the *Futaleufú Dam*, also in Chubut, which provides power for the aluminum plant in Puerto Madryn.

The Patagonian Plateau

It is more difficult to describe *extra-andean Patagonia*, also called the *"patagonian plateau"*; these arid lands whose sandy, rocky soil is cut by entrenched, unbranching rivers, are home to the Patagonian hare or *"mara"*. This region is almost always associated with the idea of the cruel and inhospitable desert, where only the *sheep* with their thick fleeces can defy the frozen wind and live on the meager diet of its dry grasses; or with the *oil rigs* that stand upon its coasts as if to replace the non-existent trees and plant themselves even in the ocean's domain; even so, the immensity of its petroleum reserves yet untapped is obvious. All this is part of extra-andean Patagonia, but another of its facets is the *Alto Valle* [High Valley], on the upper reaches of the Negro River, where 120 kilometers along the river are dotted with people whose work and abnegation have transformed this part of the country into an unbroken ribbon of orchards; a glorious sight to view from early Spring to Autumn, from blossoming to ripening, the apple trees, the pear trees and the grapevines in these irrigated fields seem to spring like a miracle from the desert beneath the poplars' protective boughs. The same results have been harvested by the Welsh colony near the Chubut River, a few kilometers inland from the sea, where they have been able to show the difference between sterile "damned soil" and land that is simply *arid* until it receives the blessings of water and man's labor. This is the language of the *great Patagonian ranches* (like the *"María Behety"* in Río Grande with its gigantic shearing shed) where men have created the best pastureland for sheep and goats, whose wool is highly valued on the international market. Its extensive seacoast with tall cliffs and only coves and bays to shelter ships, offers the unusual and unique spectacle of its *sea elephant, sea lion* and *penguin colonies* or the mid-June appearance of the *whalebone whale* in the Gulf of San José. One of the most populous sea lion colonies can be observed from atop a cliff in Port Pirámides on the Nuevo Gulf. The transparent waters of the Nuevo Gulf have made Puerto Madryn "the underwater capital of Argentina"; the broad Patagonian submarine platform favors great numbers of a wide variety of species of fish, a delight for *deep-sea fishing*. Petroleum production, from Neuquén to Tierra del Fuego, has not only seeded the terrain with oil rigs but has also given birth to important settlements, headed by *Comodoro Rivadavia*, (at the center of the largest oil basin in the country) whose inhabitants have diversified their activities to include *farming, ranching or commercial fishing*. The gas lines running from Comodoro Rivadavia to Buenos Aires and La Plata are only a sample of the enormous wealth of natural gas in this area. This part of Patagonia has also seen the creation of large *industrial parks*, like the *Aluar aluminum plant* in the province of Chubut. Land of the Tehuelche and Araucano tribes, it offers testimonies of the past that range from the *Petrified Forests* in Chubut and in Santa Cruz, to the *"Cueva de las Manos"* [Cave of the Hands] in the canyon of the Pinturas River, up to the recent past in the Welsh colony in *Gaimán*.

THE SIERRA

THE SIERRAS OF THE PAMPAS

This region includes parts of the provinces of Tucumán, Catamarca, La Rioja, San Juan, Santiago del Estero, Córdoba and San Luis.

Set amidst blocks of foothills, valleys and highlands – the highest called "campos" [fields] and the lower ones "llanos" [plains] – with an arid climate and a decided cultural and spiritual uniformity among its inhabitants, this region offers a variety of natural scenarios, some of them outstanding and unique.

In Tucumán, the subtropical *hillside rain forest* on the eastern slopes of the Aconquija range, climbs to 1,400 M with laurel, cedar, "tipa" [a yellow-flowered hard wood tree], walnut and lapacho [a very hard wooded tree] wrapped in lianas and creepers and decked out with orchids.

In Catamarca, the *magnificent natural amphitheater of the Valley* is one of many agricultural oases in the province and is also the site of the provincial capital, *San Fernando del Valle de Catamarca*. The view of the city from the Cuesta [Slope] del Portezuelo is a pleasure worth seeking. There are brilliant festivals of the *Virgen del Valle* [Virgin of the Valley] and the *Festival of the Poncho*, where expert weavers display their work. On the *western edge of the hills, the countryside and deep valley of Talampaya* in La Rioja displays the ghostly spectacle of its eroded "lighthouses" which extend into the Valle de la Luna in San Juan. Also in La Rioja, in fields and plains, together with the native flora of carob trees, chinars or plane trees, quebrachos [the famous break-axe tree], adorned by the "flor del aire" [a flowering parasite] that clings to their trunks, large orchards and truck gardens spring up from the irrigated soil with grapevines, olive trees and walnut groves. *Chilecito* is La Rioja's second city; it is magnificently located at the foot of the Famatina. It was at its best in the 19th century thanks to the gold and silver mines in the region. Today, its vineyards and many wineries produce wines with a prestigious reputation. In many towns in La Rioja there are festivals throughout the year which the people of this province hold dear: the *fiesta of the "Encuentro" [Get-together]* in honor of the *Child Mayor* and of *Saint Nicholas*; the tricks and pranks *fiesta de la Chaya* during Mardi Gras; the *pilgrimage to the Pardecitas*, among others.

The *sierras of Córdoba* stretch towards the east into the Humid Pampa. Their landscape and climate have made them one of the most sought-after areas in the country, not only for tourism but also, since earliest colonial times, for permanent settlement. From *Cruz del Eje* to *Calamuchita*, and on the way, *Ascochinga, La Falda, La Cumbre, Cosquín, Villa Carlos Paz* or *Alta Gracia*, the range offers these famous resort centers clear skies, radiant sunshine, predictable rainfall, splendid vegetation, especially on its eastern slopes. These natural gifts have been improved by excellent roads and many dams, old and new, which utilize the water of its rivers and streams. Special mention must be made of the *San Roque Dam* on whose banks the summer resort of Carlos Paz lies and the *Río Tercero Dam* which presides over a system of lakes and dams in the midst of the hill country. Rich historical tradition is rooted in its towns and cities with well-preserved and valuable evidence of it in their architecture and sculpture, as on the *Jesuits' ranches in Alta Gracia* or on the *"Santa Catalina" in Ascochinga*; it has been said of the latter: "it is evident that... the author of the church was an extraordinary artist within our modest 18th-century architectural milieu"; traces of the past are also remarkable and firmly established in the speech and customs of the inhabitants.

The northern half of *San Luis* also shares the landscape of the Sierras of the Pampas. The *city of San Luis* is the capital of this province whose marked 19th-century Spanish air is showing us the signs of its progress. The *Villa de Merlo* is considered the "capital of the sierras", since it lies upon the *Comechingones Range*; from its heights the sight of the lush vegetation and sown fields of the *Conlara Valley* can be enjoyed; the wildest areas are home to a variety of native fauna: birds, pumas, lizards and others.

THE PLAINS

THE CHACO PARK

This includes all of the provinces of Formosa and Chaco and parts of Córdoba, Santiago del Estero, Tucumán, Salta and Santa Fé.

Chaco means "hunting grounds" in Quechua. The totally flat terrain rises slightly towards the Paraguay and Uruguay Rivers, thus impeding drainage of its own rivers; the forest is dense and tangled in the eastern region, replete with trees like the quebracho, viraró [red tipa], tipa [a tall, yellow-flowered hard wood tree], oak, cedar... which stand among lianas and creepers; in the forest, the clearings or "abras" are used for agriculture; flooded areas abound, some of them salty, others covered in exotic aquatic plants, where ducks, herons and flamingos live. Pumas, wildcats, ferrets, skunks, red foxes, otters and alligators among many others, prowl through the spaces of the forest which, towards the west, begins to thin out and becomes low and thorny "monte", called "The Impenetrable". In other areas, thinner forests of palm trees and God trees follow the courses of the rivers where mackerel, giant catfish and dorado thrive. In this geography, man is a protagonist: first the indigenous population, then colonial settlers and in this century, many immigrants, have helped to stimulate progress in this region.

The formerly exclusive jobs of the woodsman felling quebracho trees for the extraction of tannin or of the field hand on the cotton plantations has now been substituted by a great variety of activities ranging from rational use of the forest, diversified agriculture and selective cattle raising to the establishment of industries for producing raw material. The so-called "river diagonal" of Santiago del Estero, between the Dulce and Salado Rivers, a region with excellent arable land, has for countless centuries been an ideal place for people to settle in; The first city in Argentine territory was founded here in 1550 and is now the capital of the province.

In this part of the Chaco Park, the traveler will feel attracted in the first place by the spectacle of the forest and will be able to enjoy it fully, since the road system permits both thorough exploration and also big game hunting and fishing; the explorer may also see how the indigenous peoples live and attend the *Chaqueña Handcrafts Fair* in *Quitilipí*, as well as the *National Cotton Festival*.

THE ARGENTINE MESOPOTAMIA

It covers the provinces of Misiones, Entre Ríos and Corrientes and the Buenos Aires portion of the Paraná River Delta.

We are speaking of four provinces: four different realities, all of them nearly entirely bounded by the courses of the Paraná and Uruguay Rivers.

The Sierras and the Forest

In Misiones, the evergreen vegetation of the forest, with more than 2,000 identified species, occupies nearly the whole province, climbing over slopes of its hills and contrasting with the red soil of its land; a tangle of plants, with great trees (quebrachos, lapachos, timbos, rosewood, cherry laurel, palms, yatay [edible palms], giant ferns, lianas, orchids, shrubs and in the low, flooded parts of the forest, mosses. Its denizens are the ounce [or "snow leopard"], the wildcat, the puma, the jaguar, monkeys, coaties, anteaters, deer, tapirs, more than 400 varieties of large and small birds (cardinals, mockingbirds, parrots, toucans), and an infinity of butterflies. *Hunters* can shoot ducks and partridges, even peccaries, stags, wild boars and elk; the hunting of jaguars, pumas, anteaters, monkeys and squirrels is prohibited. Sport fishing, especially for the dorado, the fiercest game fish of all, gravitates on the *Caraguaytá National Fishing Reserve*. Of this forest, more than 50,000 hectares belong to the *Iguazú National Park and Reserve*, where the caprices of the earth's crust have formed one of the most grandiose natural spectacles in the world: the falls of the Iguazú River: the abundance and the roar of the falls, the rainbows formed by the sun that shines through the mists floating over the water and the virgin forest that serves as its backdrop, make them part of our national treasure and the world's as well. Misiones is a land of hard work and of pioneers. Already in the 17th and 18th centuries, the missionary fathers of the Compañía de Jesús established ten *settlements of converted Indians* there, models of political, economic and religious organization; of these, one of the most remarkable was *San Ignacio Miní*, 25 kilometers from *Posadas*, the provincial capital, whose ruins, some of them very well preserved, surprise the traveler. The abnegated *"mensús"* [Paraguayan immigrant workers] who hacked the first trails in the forest to harvest the natural yerba maté [a kind of green tea], have been followed by immigrants, especially Germans from Brazil, who have enriched the economic life of Misiones with flourishing agricultural colonies like *El Dorado*. Yerba maté, tea, mandioca, tung, tobacco and citrus fruits are objects of a diverse and technified agriculture which is displacing the forest, providing raw material for important agroindustries. The rational exploitation of pine trees whose fibers are appropriate for paper manufacture is evidenced by the important industrial plants at *Port Pirai* and *Port Mineral*.

The Estuary

On arriving in Corrientes, it is the gentle lilt of the Guaraní language heard in the conversation of its bilingual inhabitants that makes the first impression. This charm permeates everything. As if enchanted, you slowly discover how *tradition* and *patriotic feeling* spring naturally from each person, from the towns and cities, on the roads, from the churches and monuments. It is difficult to separate the things from their spirit. The geography, depressed in the center and covered by the estuary of the Iberá where the cayman and the royal water lily reign undisputed, rises up on the edges and falls down picturesque slopes toward the two great rivers, the Paraná and the Uruguay, which embrace it. The tropical forest covers the high points and slips down to the south along the riverbanks. The *rice* plantations on the edge of the estuaries, the river waters incredibly colored by the *oranges* they carry down toward the selection and processing centers, the *tobacco* plantations, the *mandioca* expected in each home for the quasi-ritual *"chipá"* [mandioca bread]: all is part of this land of Corrientes. Fishing for the dorado or "pirayú" becomes an international tournament in Paso de la Patria for fishermen from afar who get together there each year. The cock fights in Goya are also events that attract big audiences, spectators as well as betters... During his stay in Corrientes, the traveler usually finds himself in the midst of one of the celebrations that frequently shake up the inhabitants' quiet pace: of the religious ones, the show of piety in *the festivals of Nuestra Señora de Itatí and of the Cruz del Milagro [Miraculous Cross]*; festive and dazzlingly colorful, the Corrientes Mardi Gras, whose fame has gone beyond provincial boundaries; as a tribute to man's labor: the *National Tea Festival* in Oberá, the *Tobacco Festival* in Goya, the *Orange Festival* in Bella Vista; in August, the tribute to the Liberator, General José de San Martín in all of Corrientes and especially in *Yapeyú* where he was born; the grenadiers who accompanied him on his campaigns were also from Corrientes.

The southern part of Corrientes, from the city of Mercedes down, due to its special characteristics, must be included in the so-called "subregion of the hillocks of Entre Ríos".

The Hillocks

From the south of Corrientes to the area of the Paraná River delta, there is a land of *hillocks* (whose maximum height barely surpasses 100 meters) with a benign climate and abundant black soil for crops. The forest of Entre Ríos, at one time called the *forest of Montiel*, has lost its former loveliness, but still survives in the form of "forest galleries" [the dense tunnels formed over the rivers by the overhanging vegetation] of willows, silk cotton trees, tolas and nandubays that follow the course of the rivers that bathe the *grassy prairie*. On the Uruguay River there are palm groves, the most outstanding being in the *"El Palmar" National Park and Reserve* in Colón, with thousands of *yatay palms*, some of them more than 800 years old (a few specimens are petrified), that grow with mosses and ferns in the midst of a splendid and mysterious landscape of prairies, dunes and streams. Because of the quality of its soil and climate, Entre Ríos is part of the richest farming and ranching area in the country, evidenced by its abundant harvests of grains and flax, its prodigious production of citrus fruits, its numbers of select livestock and nearly half the country's total poultry production. Agroindustry follows the rhythms of primary production. Originally lands of the Guaranis and the Charruas, the Hispanic population was later joined by other European immigrants, especially Germans at mid-century; of these, the German colonies in Gualeguaychú are the charming testimony. The patriotic armies marched through this land and it lent battlefields in the struggles for national organization. Of its cities, *Concepción del Uruguay* was the provincial capital until 1883; its *National High School* educated distinguished national figures. A few kilometers from Concepción the *San José Palace*, an imposing residence built by General Justo José de Urquiza, may be visited. *Paraná*, on the cliffs above the river, is connected with Santa Fe by the *Hernandarias tunnel*, more than 2,900 meters long; placed in a strategic location in the midst of splendid natural vegetation, the city of Paraná was at one time a defensive bastion against the enemy. Other infrastructure projects that have been completed include the *Zárate - Brazo Largo road-and-rail bridge*, which is of vital importance in the communication between the Mesopotamia and the rest of the country, and also the *Salto Grande* Hydroelectric complex, a joint venture shared by Argentina and Uruguay.

The Paraná Delta

Less than 30 kilometers from Buenos Aires' city center, one of the most beautiful sights in the country can be discovered. Before flowing into the River Plate, the Paraná turns east and divides into various tributaries and these into canals and streams that acquire different names and surround a myriad of densely forested islands. Everything contributes to the rhythm and color of the landscape: the green of the trees, the crimson of the ceibo flower, the orange orchards, the water that in some places is transparent green, the sails of the yachts, the colorful products being shipped; the ceaseless fluttering of the birds, the sweet rocking of the willows that bathe their branches from the banks, the boisterous hubbub on the launches carrying schoolchildren, the tooting of the whistles and sirens of the omnibus launches, the foamy wakes of the myriads of boats. On the islands, construction is diverse and varied: docks and picturesque homes which, like lake dwellings, drive their piles into the riverbottom; among these, the riverside inns and "recreos" [restaurants with large gardens]. As a center for leisure, the Delta offers not only the simple pleasure of gliding over the water in taxi or omnibus boats, but also a whole range of water sports sponsored by prestigious institutions: rowing, water skiing, motor boating, sailing, windsurfing; there is also fishing and small game hunting. The Delta is home to a stable population; of the original inhabitants all that remains is the names of the places; there are no urban centers, except a few that have sprung up with the construction of the Zárate - Brazo Largo Complex. Work is hard, the land floods, and man must build up retaining walls for the soil that nourishes fruit trees and vegetables, as well as *New Zealand flax* and *osier willows*. But the most concentrated effort is reserved for the plantations of pine trees that yield the type of cellulose suitable for paper manufacturing. Their great ally is the climate.

THE PAMPA

This includes the *Humid Pampa*, three-quarters of the total area of the region, and the *Dry Pampa or steppe*; it covers nearly all of the provinces of Buenos Aires and La Pampa and part of the provinces of San Luis, Córdoba and Santa Fé.

Many people speak of the Pampa as if to describe all of Argentina; it is difficult to correct this error, especially if the traveler has come in through Buenos Aires. Who can persuade him that these 700,000 square kilometers of "pampa" – nearly twenty percent of the national territory – are *not all* the country? Its flat land, softly undulating in the north and northeast, somewhat depressed in the center, becomes a highland when it reaches the Córdoba sierras. It is broken only by the Tandilia and Ventania sierras. South of the cliffs on the Paraná and the River Plate, the coastline is low, with dunes and beaches and some stretches of rocks with cliffs. The temperate, humid climate in nearly all the region favors the growth of *pasture* with tender grasses. *Pampa* means "treeless land". There are forests only on the edges of the region: fragments of the forest near the Paraná River and vegetation of the *monte* with low scrub and tough grass to the southeast on the *steppe*. In general, it is a monotonous natural landscape without the stridencies of the other regions. But Man has modified the scenario of the Pampa: millions of trees brought from all over the world – pines, poplars, chinaberry trees, eucalypts, myrrh trees, palms – create the illusion of real native forests; the well-worked fields add different colors that change with the seasons and the variety of crops: from flax to sunflower, fine grains and forrage or the blossoms of fruit trees; all set in immense spaces that fade into the horizon. This "natural" landscape is filled out by the thousands of head of cattle grazing in the alfafa fields and by the tall silos and beautiful houses of the farming-ranching establishments – one of the most beautiful of these is the house on "La Biznaga" in Roque Pérez – and also the modest ranchos beneath their shade trees. The common man of the Pampa, our *gaucho*, a skilled rider and anonymous hero in the struggle for our Independence, preserves customs and traditions that make him a symbol of this region; he holds to his attire, the inevitable poncho and broad-brimmed felt hat, to his facon [knife], to his saddle gear, to his round-the-clock maté and to the treat of "a good barbecue"... This bucolic atmosphere is nowadays broken by the proliferation of spaces developed for industry, since 85% of the country's production comes from the manufacturing centers of the Pampa. This is the main factor determining the *unequal population distribution*: very thin in the rural towns and cities in the interior; over-crowded in the periferal cities like *Córdoba, Rosario, Buenos Aires, Bahía Blanca*, etc. and their respective industrialized suburbs and, except Córdoba, busy ports.

Because of its immensity, it is difficult to take in the whole Pampa in a short time. The traveler can delight in the spectacle of its fields once he or she has left the urban centers a few kilometers behind and also enjoy the traditions and customs of rural life there. If we look at the country's history, each place has a story to tell. The foundation of its cities – Santa Fé, Córdoba, Buenos Aires – the threat of the Indian raids, the conquest of the desert, the internal strife for the establishment of the Nation, have made each city, each town a protagonist. Some take pride in having begun as simple fortified outposts on the edge of the desert; others, like the *city of Córdoba*, preserve the testimony of the past nearly intact. This is the gateway to the region of the sierras; it also presides over the entrance to the plains, especially toward the Pampa. Because of its strategic location and easily exploited natural resources it has been a center of attraction for settlement since its foundation in 1573. An active cultural and religious center, this fact is evidenced by the *Cathedral*, a jewel of Spanish-American architecture, and by the Church and *School of the Compañía de Jesús*, the building of the *University*, the *Cabildo*, all built in the 17th century, and by the convents and lordly houses bearing the stamp of Spanish influence and telling of a past that was rich in every sense. Córdoba is now the seat of the *University of Córdoba* and of many other cultural institutions, in the vanguard of the economy of *an extensive farming and ranching area*, the second most populous city in the country and *one of its main industrial centers*; the process of industrialization has in the last thirty years transformed Córdoba into a big city, not only because of the number of inhabitants that doubled in a short time, but also because of the consequent accumulation of a diversity of activities. Other centers of attraction for a temporary population are the seaside resort cities on the Atlantic coast, *Mar del Plata* being the largest summer resort center in the country. Set in a privileged area, (with an excellent "microclimate") its beauty can be defined as much by the ocean bathing its wide and numerous beaches as by the particular tastefulness of its buildings, the flowers that grace its gardens or its big-city bearing. An interesting visit for experts and amateurs alike is the "Ojo de Agua" Stud Farm in *El Dorado*, near Lake La Brava; it has garnered well-deserved fame for having selectively produced thoroughbred race horses which have won the most important races.

Rosario, the country's third city in population shows us its port with pride, since it receives products from the north and from the center of the Republic, channeling them to the Plate and on to the Ocean. The special idiosyncrasy of those living in Rosario, most of them of Italian origin, has made this city a vigorous center of work and progress which can be seen in its parks and avenues and in its modern buildings. In Belgrano Park, the Monument to the national flag and its creator – the work of several Argentine sculptors – surrounds the place where it was unfurled for the first time; Independencia Park is one of the largest and most beautiful in the country. In *Santa Fé*, besides its capital founded by

Juan de Garay even before he founded Buenos Aires, we must mention *Esperanza, the first Argentine agricultural colony*, founded in 1856 by Aaron Castellanos.

It is no coincidence that we have concluded this brief survey of what Argentina is and what it offers as a country with the region of the Pampa; it suits Aldo Sessa's opportune idea of ending the series of photos he has included in this book with three magnificent shots he took on the "Don Manuel" Ranch in Rancul, precisely in the province of La Pampa. In them, the light of the campfire ringed by the cowhands, maté and guitar in hand, replaces the light of the sun.

ARGENTINA. A photographic adventure.

Epigraphs

BUENOS AIRES CITY, The Federal Capital.

L'ARGENTINE. Une aventure photographique   Traducción de Diana Sukiassian

Une aventure qui commence dans le même atelier d'Aldo Sessa quand, d'une attitude identique, il dit "je vais photographier l'Obélisque" ou bien "je pars pour Ushuaia"... et il part avec un tout petit peu plus que ses appareils. Il rentre tout de suite après, ou pas, selon les distances, avec ses rouleaux et ses précieuses notes. Il supporte de pied ferme les résultats du laboratoire et, les photos déjà dans le viseur, il s'écrie "quelle bonne chance!".

Est-il vraiment de la chance?... C'est plus sérieux de croire à ses qualités d'artiste et à sa stricte conscience professionnelle. D'après lui, les scènes "lui arrivent": un jeu opportun de lumières entre les arbres (85)*..., des chevaux qui, juste à ce moment-là, il leur survient l'idée d'aller boire dans une flaque d'eau (162)..., les autobus groupés comme s'il s'agissait d'un "départ" à Palermo (16b)..., un rassemblement autour du feu prêt pour le maté (212/215)... Oui, c'est vrai, les choses arrivent, mais elles sont bien différentes quand celui qui les regarde et les façonne dans la toile ou les fixe dans une pellicule, est un artiste. A cet égard nous nous souvenons de la réflexion quelquefois entendu des lèvres d'un professeur d'Art: Le nectar des fleurs est là, à la disposition de n'importe quel insecte, mais, qu'il est différent le produit final quand c'est l'abeille qui le suce!.

Et bien..., cette "aventure photographique" que Aldo Sessa partage avec ceux qui parcourent ces pages, a par décor le grand espace géographique que la République Argentine occupe. Étendue surtout en latitude, elle domine tous les paysages, tous les climats. Couronnée au nord par le Tropique (57, 138, 147), son extrémité sud atteint les latitudes glacées (27); appuyée à l'ouest sur l'une des plus hautes chaînes de montagnes de la Terre (161), elle étend ses plaines fertiles riches en bétail (206-209) et ses plateaux arides (38-39) à la recherche de la mer océan (114-115) qui baigne ses côtes orientales. Pour le plaisir de ceux qui s'intéressent au passé, la lentille de Sessa a registré aussi les traces que le temps a laissées en passant par tous les confins du pays: des monuments naturels taillés par les vents et les eaux (149), des "petroglifos" (136), des constructions préhispaniques (183), d'émouvants témoins des premiers balbutiements de l'art hispano-américain (181a,b) et les plus belles manifestations de son remarquable apogée (101). Il a examiné aussi quelques activités de l'homme comme par exemple celles qui sont propres à l'agro (41, 156, 208), celle de l'extraction du pétrole (124b), l'exploitation de la forêt (204) ou bien les activités sportives comme par exemple la pêche (200) ou le ski (165).

Celui-ci est un espace tres réduit pour pouvoir analiser toutes les images exposées; d'autre part, il est mieux que chacun les savoure à sa manière et que beaucoup d'autres y ajoutent leurs souvenirs et leurs nostalgies.

Ce livre n'est ni un guide touristique ni un texte de géographie, cependant ceux-ci pourraient devenir une oeuvre d'art de la main de M. Sessa. Il est destiné, avant tout, à la récréation visuelle de celui qui parcourt ses pages. C'est un riche ensemble d'images où il excelle: la créativé de sa structure générale; dans les thèmes, l'insolite (16c, 148a), le contraste qui nous emmène sans réfléchir dès la Place San Martín à Buenos Aires (17) jusqu'à l'Île de los Estados (26) à "la pointe sud de la carte"..., ou tout près de la flamme votive du Monument a la Bandera à Rosario (54-55) jusqu'au pied d'un "palo borracho" dans la forêt de Formosa (56) et l'authenticité, puisqu'aucune des photos n'est produit de "truccatura" du laboratoire.

L'oeuvre représente l'Argentine du point de vue d'Aldo Sessa: "je me mets au sommet de la montagne et je vois..."; c'est un travail fait en pleine liberté et sans contraintes. Parfois il s'arrête en un sujet comme s'il en devenait amoureux (65/67, 116, 117, 148, 180-181, 210-211). Il a ses préférences: on dirait qu'il aime plus Uquía (181) qu'un temple de riche ornement. Et il tombe même en réitérations qui, à la fin, deviennent des réussites heureuses.

Bien qu'il ne les élude complètement pas tous, il cherche des endroits qui ne sont pas les plus habituels pour le tourisme; c'est le cas de la Estancia Santa Catalina (100/107) de laquelle l'architecte Mario J. Buschiazzo a dit: "Pas loin de Jésus Marie, vers le couchant, où les montagnes ébauchent, les jésuites ont dressé, à partir de 1622, la meilleure et la plus belle de leurs "estancias". Et celui de cette rue-là d'Humahuaca avec des gargouilles pour la vidange de leurs toits (186-187) ou celui du char aux mules à Mansupa (197a). Nous sommes bien certains que beaucoup de ces endroits, grâce à l'influence des photos de M. Sessa, seront incorporés à l'itinéraire touristique de celui qui les jouira à l'avance dans ce livre; c'est justement puisque nous nous trouvons en face à un expert didactique qui nous apprend à voir.

A titre d'hommage, aucune des provinces argentines n'ont manqué au rendez-vous; quelques-uns resteront sur le désir d'"un peu plus", mais on doit comprendre que celle-ci est une vision presque musicale de cet immense pays, tellement difficile à attraper, à voir et à comprendre... Les petits accords ne sont pas les moins importants...

Et, comme dans toute aventure, les cartes qui nous aident à nous orienter et à ne pas nous égarer

sont tres utiles... Dans les dernières pages de ce livre (216/220), une soigneuse sélection explique "la situation de l'Argentine dans la carte du monde", "la situation géographique équivalente dans l'Hémisphère Sud, de quelques unes de ses villes par rapport aux plus connues du Globe dans l'Hémisphère Nord", et "à combien de kilomètres s'élèvent ses grandes dimensions et distances internes"; finalement nous trouvons une carte "en relief du pays", accompagnée d'un "index de toponymes" qui servira à orienter le lecteur et à situer les endroits qui "font la description" des photographies du livre.

Nous souhaitons un grand succès dans cette "aventure photographique" à l'argentin qui, à travers ces pages, aimera davantage le pays qui l'a vu naître aussi bien qu'à l'étranger qui apprendra à l'aimer.

* Numéros des pages où se trouvent les photos qui illustrent ce qui a été exposé.

La disposition spéciale faite par Aldo Sessa dans ce livre est la réponse à un but préfigé: celui de montrer le pays en faisant ressortir ses contrastes. Avec ce critère, il obtient, en plus d'entretenir toujours vive l'attention de celui qui parcourt ses pages, de ressortir le rôle principal que l'artiste destine au rythme et à la couleur.

À cette intention, on s'est vu obligé de rédiger un texte servant de "colonne vertébrale" et de point de référence afin d'orienter le lecteur sur les endroits et les sujets que les photographies illustrent et de leur entourage régional dans la géographie du pays.

L'ARGENTINE. Le pays.

L'harmonieuse distribution de ses accidents géographiques qui permet une communication aisée entre les points les plus opposés et distants de son immensité géographique; l'heureuse distribution de climats, l'abondance de terres labourables, la disponibilité d'eau pour l'arrosage et pour l'utilisation de l'énergie et un sous-sol riche en hydrocarbures; la population ayant un bon niveau de culture, sans problèmes raciaux ni religieux, la reconnue capacité technique et professionnelle et l'exploitation face à tout ce que le progrès, la civilisation et la culture offrent, font de l'Argentine un pays où les hommes venus de tous les confins de la Terre trouvent leur propre habitat.

BUENOS AIRES. Capitale Fédérale de la République.

Chaque "porteño", homme ou femme, sent Buenos Aires comme leur appartenant, aussi devient-il, très difficile de parler d'elle. Parce que Buenos Aires est "comme ça"..., elle n'a ni de grands défauts ni d'extraordinaires qualités. On l'aime et c'est tout... Ses rues et avenues quelques-unes bien, d'autres moins bien pavées, c'est Buenos Aires; ses modestes quartiers, d'autres moins modestes et finalement les plus opulents. Son édification, tres élégante, au meilleur style de Paris ou de Londres dans beaucoup d'endroits; pleine de tours et de gratte-ciel dans d'autres; avec des quartiers entiers d'un exquis bon goût; et souvent, il faut le reconnaître elle devient bigarrée, hétérogène, et à contre-poil de n'importe quel style. Sa circulation est infernale: ses autobus sont conduits par d'espliègles petits diables...

Buenos Aires, c'est beaucoup de choses... Commençons par les arbres, assez bizarre quand il s'agit d'une ville grande et populeuse. "Les arbres de Buenos Aires"!. Des arbres, il y en a partout, non seulement dans les parcs dessinés par des paysagistes de l'envergure de Carlos Thays, créateur du Jardin Botanique; dans cette promenade, plus de cinq mille espèces de plantes de tous les climats, distribuées d'un critère scientifique, partagent l'enceinte avec des ponts, des statues et des constructions d'une grande qualité artistique. À Belgrano et à Palermo, les rues sont des tunnels verts; beaucoup d'arbres à feuillages persistants. D'autres, dans leurs floraisons, comme par exemple la "tipa" et le jacaranda, couvrent la chaussée de couleurs; très souvent, un feu désespéré, essaie de nous passer ses couleurs entre l'enchevêtrement de branches, de feuilles et de fleurs... Alors que dans le Parc Tres de Febrero, le Rosedal [Roserie] montre son élégance, le Patio Andalous ses maïoliques et le térébinthe se balance près du lac, aux alentours de la Recoleta, l'immense gommier, enveloppant, recueille attentivement de la table des bars, des dialogues d'amour, de politique, d'économie; tout près, l'ombu se répand paresseux ébloui par le parfum de l'opulent magnolier. Plus loin, des tilleuls et des mûres deviennent hérauts du printemps. Une multitude de jacarandas, pare tout de ses fleurs violâtres, même avant que leurs feuilles ne se laissent voir; pour ne pas être en reste, les "palos-borrachos", s'habillent en rose pour quitter l'été. Tous eux, et encore de dressés palmiers, chênes, pins et cèdres, peuplent les places de Buenos Aires, possiblement les meilleures boisées du monde.

Buenos Aires, c'est ses cinquante quartiers. Encadrés dans un polygone de 200 kilomètres carrés, ses contours sont l'avenue General Paz, le Riachuelo et le Río de la Plata; cependant, la zone d'influence de la Capitale Fédérale se prolonge dans les distraits suburbains avec jurisdiction dans la province de Buenos Aires, avec lesquels, elle constitue le Gran Buenos Aires. Quelques-uns d'entre eux –Vicente López, San Isidro, Tigre, la zone du Delta del Paraná, Bella Vista, Hurlingham, Adrogué, entre autres–, avec leurs clubs, résidences secondaires ou permanentes, jardins et promenades, sont comme la continuité et le soulagement de la grande ville. Fondée en 1580 par Juan de Garay (la nommée "première fondation" n'a pas été telle, mais un simple établissement), Buenos Aires s'appuie sur le Río de la Plata, large, avec des prétensions de mer, mais aux eaux douces et "couleur de lion". Les "porteños voudraient avoir leur fleuve plus à leur portée et en jouir de toute sa dimension, sans que les barrages du port, les usines et les élévateurs de grains, le chemin de fer, puissent l'empêcher... L'avenue Costanera remplit en partie leurs désirs aussi bien que les derniers étages de belles et hautes édifications qui s'alignent tout au long des avenues Colón, Alem et del Libertador.

Buenos Aires, dans l'ensemble, a le dessin d'un damier; ses rues se coupent en angle droit. Très peu de diagonales interrompent ce schéma. Une longue avenue, Rivadavia, parcourt cette ville d'est à l'ouest et la divise en deux parties presque symétriques. En très peu de temps, l'avenue 9 de Julio, de plus de 100 mètres de largeur, va compléter son tracé nord-sud parée de l'Obélisque dans son centre, symbole moderne de la ville, oeuvre de l'architecte Raúl Prebich. C'est là où convergent outre, l'avenue Corrientes et la Diagonal Norte. Si nous faisons allusion aux avenues, nous ne pouvons pas laisser de côté notre Avenida de Mayo, très espagnole, qui étend son parcourt entre le palais du Congrès de la Nación et la Casa Rosada, siège du Pouvoir Exécutif, face à la Plaza de Mayo. Nous sommes tentés d'énumérer quelques-uns des édifices du Buenos Aires monumental: le Courrier-Central, le Palais de Justice, les maisons mères de Banques nationales et étrangères, les nouveaux blocs des Catalinas, aussi bien que les chers édifices de ses églises, déjà séculaires: San Ignacio, San Francisco, Santo Domingo, Nuestra Señora de la Merced. Une autre histoire mérite la Sculpture qui peuple des places, jardins et avenues et qui étonne à tout celui qui passe, par sa beauté, son élégance et les précieuses signatures qui l'avalisent. Témoins de ce que nous disons, c'est l'incomparable image du Monumento de los Españoles d'Agustín Querol; le monument au Général Carlos María de Alvear d'Antoine Bourdelle, même auteur de "Le Centaure Blessé" et d'"Héraclès"; "La Captive" de Lucio Correa Morales; "Les Néréïdes" de Lola Mora; "Hymne au travail" de Rogelio Yrurtia; "L'archer" d'Alberto Lagos; le monument à Nicolás Avellaneda de José Fioravanti et, d'Augusto Rodin, "Sarmiento". D'autre part, l'installation de musées, ambassades et d'autres institutions, dans des immeubles et des palais construits dans la ville en tant que des résidences particulières, au début du siècle, les a préservés du pic démolisseur du progrès. C'est ainsi que de nos jours se montrent encore entre autres: le Palacio Errázuris, siège du Musée d'Art Décoratif dont l'architecte René Sergeant, s'est inspiré des façades de Gabriel qui entourent la Place Vendôme à Paris; le Palacio Anchorena, a présent Ministère des Affaires étrangères; les palais occupés par les ambassades d'Italie, des Etats-Unis d'Amérique et celle du Brésil –ces deux dernières par Sergeant– l'ambassade de France, la Nunciatura Apostólica [Nonciature Apostolique], le Círculo Militar, le Musée Fernández Blanco de style baroque américain; la maison de l'écrivain Enrique Larreta, actuellement Musée qui porte son nom, de pur style espagnol. Il est convenable aussi de mettre en évidence la belle image offerte par l'ensemble architectonique qui entoure la Place Carlos Pellegrini dans le quartier de Retiro.

Bien que Buenos Aires ait une histoire assez jeune, elle est pleine de souvenirs plus que de témoins matériaux qui, dans la plupart, ont disparu au cours des ans. Cependant, dans des recoins sûrs de la mémoire, dans des lettres et des documents conservés, on peut facilement rechercher le passé et le reconstruire assez fidèlement. La Plaza de Mayo, anciennement Plaza de la Victoria, est la pierre angulaire des temps passés; le Cabildo est son plus ancien témoin; la Cathédrale Métropolitaine, de style néo-classique, surveille le mausolée qui garde les restes du général José de San Martín. Vers le sud de la Plaza, on trouve les quartiers de Monserrat et de San Telmo; parmi les vieilles maisons seigneurales à un ou deux étages subsistantes encore, quelques-unes munies de grilles, de grandes cours avec des galeries et quelque puits –la Santa Casa de Ejercicios Espirituales [Sainte Maison d'Exercices Spirituels] est un véritable exemple de ce style d'édification– on pourrait entendre les voix d'hommes et de femmes dont les noms remplissent les pages de notre Histoire; tout près, le Parc Lezama, un autre exemple d'amalgame entre la nature et l'art. À Recoleta, actuellement l'une des promenades les plus fréquentées et élégantes de notre ville, se dressent la Basílica Menor de Nuestra Señora del Pilar, datant du XVIIIe siècle et le Cementerio del Norte, dit-on Recoleta, inauguré en 1822, au style des nécropoles de Gênes ou de Milan; quelques-uns des voûtes et mausolées sont des oeuvres d'artistes renommés, tels que José Fioravanti, Pedro Zonza Briano, auteur de "Le Redempteur" sur l'avenue principale, Alfredo Bigatti et beaucoup d'autres. En même temps, d'autres chapitres de cette jeune Histoire peuvent être retrouvés dans les places et les parcs, les maisons et les églises des quartiers de Belgrano, Balvanera, San Nicolás, Retiro et d'autres.

Buenos Aires, c'est ses gens. La Capitale et son environnement réunissent 10.000.000 d'habitants. Si nous faisons une promenade par Florida, l'une des rues les plus fréquentées, nous serons touchés par le défilé de la "Babel" de races et de nationalités, de même que par la diversité de langues ou de simples nuances que les passantas emploient dans leurs dialogues. Tous ces gens sont les mêmes qui habitent les quartiers "porteños" et qui cohabitent sans problèmes d'origine ni de religion. Telle est la cause du profil des habitants de Buenos Aires: ils sont cordiaux, ouverts, spontannés, accueillants.

La ville est le siège de la plus importante des universités nationales du pays, de plusieurs universités privées, des instituts d'enseignement supérieur, des collèges traditionnels, des académies et des centres de recherche; elle est aussi fréquemment choisie comme centre de rencontres nationales et internationales de symposiums et de congrès concernant les différentes branches du savoir. Le Musée National de Beaux-Arts, sur l'avenue del Libertador, recueille un grand nombre d'oeuvres de peinture et de sculpture de tous les temps et de toutes les écoles. Des bibliothèques publiques, officielles et des institutions privées, ainsi que de diverses archives, sont au service des spécialistes et des dilettants. Le Planétarium Galileo-Galilei, encadré par les jardins de Palermo, d'une excellente organisation, procure aux équipes de chercheurs et aux étudiants, de précieuses informations portant sur les derniers progrès en Astronomie et Astronautique. Laissant en arrière le planétarium et se dirigeant vers la Plaza Italia, on découvre la magnifique avenue Sarmiento, flanquée d'un côté du Jardin Zoologique, où les enfants aussi bien que les ainés qui les accompagnent, tombent en extase devant les animaux exotiques et les non moins exotiques constructions qui les abritent; de l'autre côté, on passe devant les jardins du Parc 3 de Febrero pour arriver à la propriété où la Société Rurale Argentine présente tous les ans durant les mois de juillet et d'août, l'Exposition Nationale d'Elevage et d'Industrie. Le nombreux public qui assiste à cette "fête campagnarde dans la ville", peut admirer dans les spectaculaires exemplaires d'animaux exposés, le grand effort que l'on réalise dans notre pays pour maintenir le prestige d'avoir remporté l'un des meilleurs élevages du monde entier.

Quant aux spectacles, Buenos Aires devient prodigue dans les salles de théâtre et de cinéma. Le Théâtre Colón est l'une des scènes lyriques les plus fameuses du monde; son bel édifice ainsi que celui du Théâtre National Cervantes, sont deux bijoux d'architecture: le Colón, exemple de construction de fin de siècle et du début du XXe siècle; le Cervantes appartenant au plus pur style plateresque espagnol.

En ce qui concerne le sport, le football n'est pas seulement un sport-spectacle, mais également se présente à Buenos Aires comme une véritable passion qui ne respecte ni l'âge ni les conditions socio-économiques; il est loin des différentes idéologies politiques et il envahit tous les cadres... Les matches entre River Plate et Boca Juniors, les deux clubs qui concentrent le plus grand nombre de supporters, occupent pendant plusieurs jours le premier plan de l'actualité. La "polémique dans le football" commence dans le foyer, se détache dans le stade et finalement s'étend dans le collège, le cabinet de consultation, le bureau, la chaire... Le turf, "los burros" en langue populaire, concentre à son tour, un grand nombre d'amateurs; deux grands hippodromes: celui de Buenos Aires, à Palermo et celui de San Isidro appartenant au Jockey Club, deviennent des scènes où des chevaux de renommés haras argentins et étrangers, montrent leurs couleurs. Le polo exhibe, très fier, des équipes marquants 40 buts et qui, ayant un troupeau de chevaux de renom international par sa qualité et son entraînement, se distinguent entre les meilleures du monde.

Nous ne pouvons pas conclure cette description de Buenos Aires, sans faire allusion à quelques endroits d'attraction touristique qui sont, en même temps, une raison de jouissance et de distraction pour nous tous qui habitons cette grande ville. La localité de Tigre –"Le Tigre" pour les porteños– est la voie d'accès pour arriver au Delta del Paraná, dont la description sera trouvée par le lecteur dans ce même livre; à quelques kilomètres du centre de Buenos Aires, le voyageur pourra jouir dans sa plénitude d'un voyage semi-sauvage sur un fort ton tropical. Une excursion par ses fleuves et canaux, en n'importe quel moyen offert, reste toujours dans les souvenirs. Il n'a rien à envier, une promenade par le faubourg de San Isidro, riche en souvenirs et admirable par ses maisons et jardins. Dans la même ville, on peut jouir, outre l'excellente cuisine internationale, du plaisir de savourer la meilleure viande du monde dans des "asadores" installés en plein centre ou bien le long de l'Avenue Costanera. Très fière, la ville offre des rues et des avenues: Florida, Santa Fe, Alvear, Arenales, Callao et d'autres où les exquises boutiques mises sous vitre, montrent l'élégance et le bon goût pour les vêtements d'hommes et de femmes et les accessoires qui les accompagnent; la même chose arrive avec les objets rattachés à la décoration et le confort de la maison, du bureau et du jardin. Même dans les quartiers, dans quelques rues principales, s'alignent des magasins qui font ressortir le bon goût des argentins et leur prédilection pour les choses bien faites et bien présentées, tel est le cas de l'avenue Cabildo dans le quartier de Belgrano. Un parcours par le quartier de San Telmo, royaume des antiquaires, surtout le dimanche quand il s'installe à la Place Coronel Dorrego, dit-on "Feria de San Telmo", présente le grand attrait de pouvoir admirer ou bien acheter de "vieilles" choses ou des objets d'art anciens. Tant à San Telmo comme à La Boca (rue Caminito) et, bien sûr aussi, dans d'autres endroits de la ville, on peut entendre chanter le tango, de profonde racine populaire, le voir danser par de très bons danseurs et, si on le veut, le danser. Les noms de Carlos Gardel,

Homero Manzi et Julio De Caro son associés à leur genèse et restent toujours vivants dans ces endroits.

LA MONTAGNE ET LE PLATEAU

LE NORD-OUEST

Il comprend la province de Jujuy et une partie des provinces de Salta, Corrientes et Tucumán.

À la Puna [haut plateau froid], panorama bizarre, différent, le Nord-Ouest participe de l'auguste sobriété de l'Altiplano, où reignent le vent blanc, l'"ichu" et les cactus. Dans le domaine des sierras subandines, une orographie ancienne, travaillée par des mouvements telluriques, par les eaux et les vents; des cassures couvertes par des rivières qui servent de portes aux magnifiques anphithéâtres des vallées. En fait, un paysage complexe, où l'on passe de la journée brillante d'un ciel serein, à la soirée gelée; de l'aridité la plus pauvre où ne survit que le gynérion argenté [herbe des pampas] à l'ouest, à la forêt tropicale vers l'orient, riche en jacarandas et lapachos; dans le centre, des maquis de chardons à foulon dressés sur les côtes et les cassures, habitat des guanacos, des alpagas, des vigognes et des lamas. Les conquistadores y sont arrivés du Pérou et ils s'y sont installés; les vallées sont, même à présent, le lieu d'établissement de peuples très antiques qui protègent l'autochtone et l'espagnol, en une sorte de jalouse symbiose. Qu'il suffise de rappeler la subsistance de vieilles techniques agricoles unies à celles qui ont été apprises de l'espagnol, les vêtements où cohabitent le poncho indien et le mantelet porté par les femmes en guise de mantille madrilène ou andalouse, les gracieuses blouses et chemises brodées, les sandales et le riche folklore musical, sans oublier les cérémonies religieuses, un pêle-mêle du plus pur panthéisme et des croyances religieuses les plus absolues. L'homme, venu de partout, qui y est arrivé longtemps après avec ses tours de pétrole, ses digues et barrages, ses cultures et son élevage technifié, ses grands fours ou ses exploitations d'uranium, se sent attiré par les fortes traditions, et ne dédaigne pas de boire la délicieuse chicha [boisson alcoolique] que l'on lui offre chemin faisant, porter le poncho coloré des "calchaquíes" [indiens qui habitaient le Nord-est argentin] ou celui rouge et noir des "salteños" [de la province de Salta] et jouir des délices du déclin du jour dans les fraîches galeries des maisons à toits rouges. Réduit arquéologique bien pourvu pour les spécialistes et les chercheurs, représentant d'un folklore dont les sons traversent leur propre milieu, des traces authentiques de l'art hispanoaméricain, des paysages beaux et insolites, témoignages d'une moderne et prometteuse activité économique, font du Nord-ouest l'un des plus attirants centres touristiques de l'Argentine. Voilà quelques-unes des réalités que le voyageur peut emporter de cette région: à La Quiaca, à Jujuy, tout le coloris de "La Manca Fiesta", unique marché de troc existant encore dans le pays. La visite d'Humahuaca dans la "quebrada" du même nom, portique d'entrée à la Puna et remarquable gisement arquéologique; tout près, à Tilcara, la reconstruction fidèle du Pucará et la symphonie de couleurs de la montagne à Purmamarca. À San Salvador de Jujuy, la formidable sculpture en bois de "ñandubay" [arbre mimosacé d'Amérique] de la chaire de la Cathédrale et l'église de San Francisco; à Uquía, l'église du village, typique exemple de l'architecture de l'Antiplano. Déjà à Salta, les chemins bordés de lapachos, caroubiers et "palos borrachos" de la vallée de Lerma, conduisent à l'imposante quebrada del Toro parcourue par "le train des nuages". En route vers Calafate, à la vallée plate du même nom [quebrada], le spectateur est attiré par le coloris de la végétation et les bizarres formes taillées par le temps dans la montagne. Salta, riche en traditions, nous donne l'occasion d'admirer dans la capitale, Salta "la belle", la Cathédrale, le Cabildo, l'église de San Francisco, le couvent de San Bernardo et surtout ses maisons anciennes; dans ses villes et villages, un riche filon, mélange de pitié, d'histoire et de folklore, comme par exemple la Fête del Milagro, celle de la Candelaria, le Carnaval ou "La Guardia bajo las estrellas". Et, au milieu d'une réalité physique assez dure, des superficies couvertes de plantations de tabac, de vignes, de canne à sucre et des céréales; un riche élevage, surtout de camélidés et d'ovins sans oublier la production forestière, minière, pétrolière, du gaz naturel et celle de l'énergie hydroélectrique. Tucumán, route obligatoire depuis l'époque hispanique entre l'Alto Perú et Buenos Aires, a été la scène de la conquête et d'importants événements historiques. La vitesse de l'accroissement de sa population est due à la variété et à la quantité de ses ressources naturelles, de telle sorte qu'en peu de temps, Tucumán, la plus réduite des provinces quant à son étendue, est devenue l'un des centres les plus peuplés du pays. Sa capitale, San Miguel de Tucumán, où le 9 juillet 1816 la Déclaration de l'Indépendance a eu lieu, est de nos jours un riche centre agro-industriel et le siège de l'Université nationale de Tucumán, l'un des centres culturels les plus importants du pays. De diverses exploitations agricoles et l'implantation de plusieurs industries de la machine, automobiles de transport, électroniques, du papier, etc., se sont ajoutées à la monoculture de la canne à sucre et à sa correspondante installation de raffineries. Tucumán, "le jardin de la République", présente au voyageur des endroits d'une grande beauté et de tradition, tels que Tafí del Valle, Villa Nougués, Quilmes.

LA RÉGION DE CUYO

Elle comprend la zone andine et les plateaux de piémont des provinces de La Rioja, San Juan et Mendoza.

Jusqu'au nord de Neuquén, dans le pierreux semi-désert des Andes Arides, domaine de l'Aconcagua et d'autres colosses, les oasis de culture apparaissent comme par miracle, accompagnant le cours des fleuves qui descent de la cordillère entre des canaux et des ruisseaux, surveillées par de fraîches allées de peupliers. Les oliviers et les vignes apaisent la nostalgie des hommes nés dans les terres ensoleillées de la Méditerranée européenne et de leurs descendants. Fils d'imigrants, principalement italiens et espagnols, constituent un groupe ethnique à l'intérieur des terres de l'Amérique du Sud; contrairement à ce qui arrive dans les autres zones andines du continent, il n'y reste presque plus de traces de la population aborigène. Les cultures de l'olivier, des fruits et des légumes ainsi que l'élevage naisseur, se sont ajoutées à l'activité première de la culture de la vigne, dans les oasis créées par les fleuves et multipliées par la main-d'oeuvre de l'être humain. À l'arrivée du printemps, les cuyanos, aussi bien que leurs ancêtres européens, escaladent la montagne avec leurs animaux à la recherche de pâturages, surtout pour les bovins; les moutons et les chèvres les accompagnent, bien qu'elles, plus sobres, sachent brouter des herbes de la végétation épineuse du plateau... Importante région minière: des calcaires, des marbres (le travertin à San Juan), des argiles aussi bien que des métaux et de l'uranium, ont dans le pétrole la plus importante exploitation, d'une considérable importance dans le cadre énergétique national; Luján de Cuyo, à Mendoza, est l'une des principales raffineries du pays. Parler des industries dans les provinces de Cuyo, c'est remarquer en premier lieu, les vins: élaborés d'une haute-technologie et d'une exquise habilité artisanale, légitimement héritée, ils entrent en concurrence avec les meilleurs du monde. D'autres produits de ferme et des fruits, fournissent à une bien organisée industrie alimentaire. Il faut remarquer que le rythme de croissance fulgurant de production et de consommation de la région, a amené les grandes industries du pays a y installer leurs usines filiales. Les hautes montagnes sont le paradis des alpinistes de tout le monde; des centres internationaux pour la pratique de sports d'hiver, ayant une moderne infrastructure, ont pris un grand essor depuis les dernières années. D'autres paysages, sans le plaisir de la neige ou des oasis cependant imposantes, s'étendent vers l'est; tels que les étendues de sable désertique [travesías] ou les salines qui ont inspiré Sarmiento pour son "Facundo" ou bien, le monument géologique du "Valle de la Luna" [Vallée de la Lune] à San Juan, taillé par les eaux et les vents, qui surprend le visiteur de ses formes bizarres et réserves arquéologiques. Le premier impact des sommets enneigés reçu par le voyageur qui arrive aux terres de Cuyo, sera suivi par le joyeux chant des ruisseaux et des canaux qui traversent les propriétés et rendent possible les cultures. Caves et vignobles formeront partie de son itinéraire et, en mars, il assistera à la Fête de la Vendange. Tupungato, qui avec Maipú et Luján forment le traditionnel "chemin du vin" par la quantité de caves y installées, est l'une des plus fameuses oasis du continent américain; grâce à son spécial micro-climat, toutes les conditions pour la production de la vigne et des meilleurs vins y sont possibles, avec un brillant rendement. Dans la ville de Mendoza, le touriste pourra parcourir les sites historiques qui rappellent le passage du général José de San Martin: le manoir où il a habité, des documents de la "Campaña de los Andes", le Drapeau de son armée. Il pourra de même, admirer le dessin du Parc portant le nom du Libérateur, oeuvre de l'architecte français Carlos Thays qui compte avec de magnifiques espèces d'arbres apportés de partout dans le monde; le Parc s'élève dans le Cerro de la Gloria avec le Monument à l'Armée des Andes. En quittant la capitale, de célèbres thermes telles que Cacheuta et Villavicencio ou celles qui sont presque abandonnées mais non moins connues, comme celles de Puente del Inca; le village touristique de Las Cuevas et, non loin de là, le monument au Christ Redempteur. De renommées stations de ski à "Los Penitentes", "Potrerillos" et le plus moderne et spectaculaire ensemble touristique de "Las Leñas" à Los Molles, près de Malargue. Dans le domaine de la culture, Mendoza est le siège de l'Université de Cuyo de laquelle dépendent plusieurs facultés et collèges et d'intéressants musées. San Rafael, la deuxième ville quant à son importance, a été poste de combat dans la Conquête; à quelques kilomètres de distance, on peut admirer les oeuvres du barrage du Nihuil. San Juan participe du vigoureux développement de l'industrie vinicole avec les mêmes ressources naturelles et d'effort humain communs à toute la région. La ville capitale, San Juan, est le cadre que Sarmiento a immortalisé dans ses "Souvenirs de Province". La Fête Nationale du Soleil, au mois d'août, et le Parc Provincial d'Ifchigualasto, nommé "Valle de la Luna" [Vallée de la Lune], déjà signalée, sont autant d'attractions de la région de Cuyo, "terre de soleil et du bon vin".

LA PATAGONIE

Elle comprend le sud de la province de Mendoza, les provinces de Neuquén, Río Negro, Chubut, Santa Cruz et Tierra del Fuego, Antártida e Islas del Atlántico Sur.

Sur la carte, l'immense triangle renversé symétriquement de 750.000 km2 de superficie, dont la base repose sur les limites méridionales de Cuyo et de la Pampa, et son sommet sur le sud, est le finis-terrae du pays, avant d'arriver aux domaines gélés de l'Antarctique. Sous le nom généralisé de Patagonie, on distingue deux paysages *bien différents*: celui des Andes à l'ouest, et, au sud, celui des plateaux qui s'étalent vers l'océan pour se submerger dans ses eaux.

Les Andes Patagoniques

À partir des 36e degrés de latitude, et vers le sud, la montagne andine *perd son aspect pierreux, aride et fortifié*; les vents humides du Pacifique se filtrent par ses vallées et ses pentes s'habillent de forêts qui grimpent jusqu'aux hauteurs. Splendide échantillon d'espèces d'arbres, quelques-unes uni-ques dans la flore du monde: le grand et svelte "pehuén" [espèce d'araucaria], le corpulent "coihue" [sorte d'hêtre], les géants mélèzes, le chêne, le "raulí", le beau myrte, les hêtres, se réflètent aussi bien que sur les sommets enneigés, dans les lacs aux eaux transparentes d'un vert-turquoise, et ils règnent sur les violettes, les fraises des bois, l'iris et le lys, rivalisent avantageusement avec les plus préciés paysages alpins... C'est ainsi que le voient ses habitants, beaucoup d'européens et leurs descendants, qui habitent sans nostalgie ces endroits où ils sont arrivés avec leurs moeurs et leurs métiers, en offrant leur amour à ce milieu, auquel ils ont pu s'adapter facilement. Très souvent, c'est le voyageur qui, attiré par le paysage, le gros gibier, la pêche aux salmonidés, la vision colorée des fameuses pistes de ski, l'excellente cuisine, le savoir-vivre des gens, s'est proposé d'y retourner et, quelques-uns y sont restés pour toujours. Plus au sud, et jusqu'à la Terre de Feu, les glaciers. Ces énormes champs glacés, lorsque les caresses du Soleil se tournent plus chaudes, commencent à lancer leurs glaçons au lac en provoquant un spectacle imposant et assourdissant; ce dont ils parlent au voyageur le glacier Moreno et l'Upsala –ce dernier est considéré comme le plus grand du monde– sur le lac Argentino; naviguer ses eaux, entre des blocs de glace, est une expérience superbe. Voilà que nous arrivons jusqu'à la fin des terres...; où la "lenga", le "ñire" et le cannelier défient les vents en alternant avec la steppe herbacée, les fleuves impétueux, des glaciers, des tourbières maréca-geuses, point final pour cette géographie de la Cordillère. Or, celui qui voudrait en jouir pleinement, devrait savoir que les Parcs Nationaux, "Lanín", "Nahuel Huapí", "Los Arrayanes", "Los Alerces", "Los Glaciares", entre autres, y renferment tous les attraits déjà décrits: leurs forêts avec des chas-ses gardées, leurs stations de ski telles que Chapelco, Cerro catedral et La Hoya; leur quantité énorme de lacs aux paysages changeants –Lácar, Nahuel Huapí, Correntoso, Lolog, etc.– idéals pour la pêche et les sports nautiques. Non moins attirant est la possibilité de parcourir les Parcs à cheval, en petites embarcations à travers les lacs ou les rapides des fleuves, ou bien entreprendre l'aventure en des véhicules spécialement adaptés pour le terrain âpre, dépourvu de traces. Parmi les villes, San Carlos de Bariloche, au bord du Nahuel Huapí, d'une nette saveur alpine, est le portique d'entrée à l'un des plus beaux endroits du monde. Son activité, basée sur le tourisme de toute l'année, est le siège, en même temps, de l'Institut Balseiro dans le Centre Atomique Bariloche, du-quel sortent des ingénieurs en énergie nucléaire et des licenciés en Physique, de la Camerata Bariloche d'un prestige mondial et du Centro de Capacitación de Guardaparques, le plus grand de l'Améri-que du Sud. L'industrie artisanale du chocolat jouit d'un grand prestige international. Ushuaia, capita-le de Tierra del Fuego, la ville la plus australe du monde, se rengorge à présent comme un phare de progrès grâce à sa vertigineuse industrialisation, qui a aussi emmené une population stable et entre-prenante à ces latitudes. Ils sont de même attirants les oeuvres que l'on réalise pour la production de l'énergie électrique et la provision d'irrigation pour toute la région: le barrage Ezequiel Ramos Mexia à El Chocón (pour la production de plus de 1,500 MW); le barrage Florentino Ameghino à *Chubut*; le barrage Futaleufú, aussi à *Chubut*, qui alimente l'usine d'aluminium de Puerto Madryn.

Le plateau patagonique

Plus difficile encore c'est de parler de la Patagonie extra-andine, nommée aussi "plateau patagoni-que"; terres arides, coupées par des fleuves encaissés et sans afluents, un sol sablonneux et rocail-leux, domaine du "mará" (lièvre patagonique). Presque toujours on l'associe à l'idée du désert cruel et inhospitalier, où seulement les ovins sont capables de défier, de leurs épaisses toisons, le vent gélé et de se conformer au sévère régime de son pâturage ou aux tours de pétrole qui s'érigent sur ses côtes en tant que de prétendus remplaçants de l'arbre inexistant et qui s'implantent même dans le domaine des eaux de l'océan; même ainsi, saute aux yeux, l'immensité des ressources pétrolières qu'il reste encore à exploiter dans le pays. Tout cela fait partie de la Patagonie extra-andine, cepen-dant il l'est aussi l'Alto Valle, dans la haute vallée du fleuve Negro, où, sur près de 120 km, se distribuent des habitants dont le travail et le dévouement ont transformé cette partie du pays en un verger de fruits sans solution de continuité; c'est un bonheur, dès le début du printemps jusqu'à l'automne, depuis la floraison jusqu'à la maturité, parcourir ces terres irrigables où les pommiers, les poiriers et les vignes aparaissent comme par miracle dans le désert, sous l'ombre protectrice des peupliers. La colonisation galloise a atteint les mêmes résultats près du fleuve Chubut, à quelques kilomètres de son embouchure dans l'océan, où l'on a pu démontrer la différence existante entre les terres stériles, "terres maudites", et celles-ci qui ne sont qu'arides jusqu'à ce qu'elles reçoivent la bénédiction de l'eau et du travail de l'homme. Elles en font allusion aussi, les grandes estancias patagoniques telles que "María Behety" à *Río Grande*, avec leur gigantesque hangar de tonte, dans

lesquelles on a obtenu les meilleures pâturages pour l'élevage des ovins et dont les toisons jouissent du meilleur cote dans les marchés mondiaux. Son extense littoral maritime, haut et escarpé avec ses seules anses et baies comme refuge pour la navigation, offre le spectacle insolite, unique dans le monde de ses groupes d'éléphants de mer, de loutres marines et de pingouins ou bien l'apparition de la baleine vers le mi-juin, dans le golfe San José. Dans le Port Pirámides, dans le Golfo Nuevo, on peut observer, dès le haut d'une falaise, l'un des plus fréquentés groupes d'éléphants de mer. Les eaux transparentes du Golfo Nuevo, ont converti Puerto Madryn en "capitale sous-marine de l'Argen-tine"; la large plate-forme sous-marine patagonique favorise la pêche en haute mer, attirée par son énorme quantité et variété d'espèces ichtyocolles. L'exploitation du pétrole, dès Neuquén jusqu'à Tierra del Fuego, n'a pas seulement semé la superficie de tours et de "cigognes" [levier à dispositif recourbé] mais a donné lieu, avec Comodoro Rivadavia à la tête (c'est le centre du bassin pétrolifère plus extense du pays), à la naissance d'importants centres de population qui ont diversifié leurs activités en les dérivant à l'exploitation agricole et d'élevage ou à l'activité de la pêche. Les gazoducs qui s'étendent dès Comodoro Rivadavia jusqu'à Buenos Aires et La Plata, ne sont qu'un exemple de l'énorme richesse de gaz dans la zone. Dans le cadre de la Patagonie extra-andine, d'importants parcs industriels *telle l'usine d'aluminium d'Aluar* dans la province de Chubut. Terre de tribus "tehuel-ches" et "araucanas", elle offre des témoignages du passé qui révèlent la présence de Forêts Pétri-fiées à *Chubut* et à *Santa Cruz* et la "Cueva de las Manos" [Grotte des Mains] dans le ravin du fleuve Pinturas, jusqu'aux plus récentes de la colonisation galloise à Gaimán.

LA SIERRA

Les Sierras De La Pampa

> Cette région comprend, seulement en partie, les provinces de Tucumán, La Rioja, San Juan, Santiago del Estero, Córdoba et San Luis.

Située entre des blocs montagnards, vallées et plateaux élevés –"campos", les plus hauts; "llanos" ceux qui se trouvent plus bas– d'un climat aride et d'une forte uniformité culturelle et spirituelle de ses habitants, cette région offre des différents décors naturels, dont quelques-uns se détachent par leurs caractéristiques particulières:

À Tucumán, la forêt "serrana" d'ambiance subtropicale, dans les flancs orientaux de la sierra de l'Aconquija, arrive jusqu'aux 1400 m avec le laurier, le cèdre, la "tipa", le noyer, le lapacho, envelop-pés entre des lianes et des liserons et parés d'orchidées.

À Catamarca, le magnifique amphithéâtre naturel du Valle, est l'une des plusieurs oasis de culture de la province, où se situe la capitale, San Fernando del Valle de Catamarca (la vue de la ville dès la Cuesta del Portezuelo est un plaisir dont il vaut la peine de jouir). Les fêtes à la Virgen del Valle y ont lieu et d'expertes tricoteuses exposent leurs oeuvrages à la Fête du Poncho. Sur le bord occidental des sierras, le "campo" et la "quebrada" de Talampaya à *La Rioja*, elle offre le spectacle fantomati-que de ses rochers escarpés érosifs qui se continuent dans le Valle de la Luna, à *San Juan*. À La Rioja aussi, dans des "campos" et "llanos", au milieu d'une flore naturelle de caroubiers, de "chaña-res" [arbre d'Amérique méridionale], de quebrachos, ornés de la "flor del aire" qui s'appuie sur leur tronc, surgissent, grâce à l'irrigation, de véritables colonies de fruits-horticoles avec des vignes, des oliviers et des noyers. À La Rioja, Chilecito est la deuxième ville de la province; elle est magnifique-ment située au pied de la sierra de Famatina. Cette ville a atteint son plus grand essor dans le XIXe siècle, à la suite de l'exploitation des mines d'or et d'argent de la région. Actuellement, ses vignobles et de nombreuses caves, produisent des vins d'un prestige renommé. Dans plusieurs villages de La Rioja, on célèbre pendant l'année, des événements très chers par ses habitants: la fête de l'"Encuen-tro" en l'honneur du "Niño Alcalde" et de San Nicolás; la fête de la Chaya en Carnaval; le pèlerinage aux Pardecitas, entre autres.

Les sierras de Córdoba s'égarent, à l'orient, dans la Pampa humide. Leur paysage et leur climat font d'elles l'un des parages les plus codicieux du pays, non seulement pour le touriste mais aussi et depuis les premiers temps de la colonisation, pour l'établissement permanent de l'homme. Dès Cruz del Eje jusqu'à Calamuchita, en passant par Ascochinga, La Falda, La Cumbre, Cosquín, Villa Carlos Paz ou Alta Gracia, cette région montagneuse offre ces célèbres centres touristiques d'un ciel lim-pide, un soleil radiant, un régime constant de pluies, une végétation splendide, surtout ses flancs orientaux. Il faudrait ajouter à ses dons naturels, un excellent réseau routier et la prolifération de diques et de barrages, anciens et récents qui profitent de l'eau de leurs fleuves et ruisseaux; une mention spéciale méritent le barrage San Roque, c'est sur ses bords que se dresse la station estivale de Carlos Paz et le barrage du Río Tercero qui préside un ensemble de lacs, de digues et de bar-rages en pleine zone de sierras. Une riche tradition historique s'enracine dans ses villages et ses villes avec de très bien conservés et précieux témoins dans l'architecture et la sculpture, tels qui se montrent dans les estancias jésuitiques d'Alta Gracia et de Santa Catalina à Ascochinga; de cette dernière, on a dit: "il est évident que (...) l'auteur du temple a été un artiste extraordinaire, dans notre modeste milieu architectonique du XVIIIe siècle". En ce qui concerne la langue et les moeurs des habitants, les marques du passé sont notables et fermement placées.

Vers le nord, San Luis participe du paysage des Sierras Pampeanas. La ville de San Luis est la capitale de la province, d'un accentué air hispanique du XIXe siècle auquel s'incorporent les traces du progrès. De son côté, Villa de Merlo est considérée la "capitale serrana"; appuyée sur la sierra de Comechingones, on peut observer dès ses hauteurs, la vallée du Conlara, paysage peuplé d'une riche végétation naturelle et de cultures; les endroits les plus agrestes sont fréquentés par une faune autochtone variée: des oiseaux, des pumas, des lézards entre autres.

LA PLAINE

LE PARC DU CHACO

Elle comprend les provinces de Formosa et du Chaco et partiellement celles de Córdoba, Santiago del Estero, Tucumán, Salta et Santa Fe.

Chaco, en quechua "pays des chasses". Un relief complètement plat avec une élévation très légère vers les fleuves Paraguay et Uruguay, qui l'empêche de déboucher ses propres cours fluviaux. La forêt est dense et enchevêtrée dans la région orientale; peuplée d'arbres de quebracho, de "viraró", de "tipa", de chêne, de cèdre... qui se dressent entre des lianes et des liserons; dans la forêt, les claires ou "abras" constituent un profit pour l'agriculture; il y a aussi une abondance d'espaces inondés, salpêtreux quelques-uns, d'autres couverts d'exotiques plantes aquatiques, fréquentés par des canards, des hérons, des flamants. Le puma, le chat sauvage, des furets, des mouffettes, des renards, des loutres et des alligators dans les rivières et encore d'autres qui maraudent dans l'étendue de la forêt qui, vers l'ouest, s'appauvrit pour se transformer en un taillis nommé "L'Impénétrable". Dans d'autres zones, des forêts clairsemées de palmiers et de fromagers, accompagnent le cours des rivières abondantes en "pejerreyes" [poissons d'eau douce comestibles], en poissons-chat et en daurades. Dans cette géographie, l'homme devient le protagoniste. Cette région conquise sur les indiens a reçu, récemment, une grande immigration qui a aidé au développement du progrès.

Le travail presque exclu d'autrefois des bûcherons abattant des arbres de quebracho pour l'obtention du tanin, et celui de la culture du coton, est de nos jours remplacé par une grande variété d'activités comme par exemple l'exploitation rationnelle de la forêt, une agriculture diversifiée et un élevage sélectif jusqu'à l'installation d'industries adéquates pour la production de matières premières. La nommée "Diagonal Fluvial" [Diagonale Fluviale] de Santiago del Estero, entre les fleuves Dulce et Salado, zone d'excellentes terres arables, est depuis les temps les plus réculés, un lieu idéal pour l'établissement humain; c'est là, que la première ville en territoire argentin a été fondée (1550), origine de l'actuelle capitale de la province.

Dans cette région du Parque Chaqueño, le voyageur se sentira attiré, en premier lieu, par le spectacle de la forêt, dont il pourra jouir grâce au réseau routier qui permet de la parcourir en toutes directions et pratiquer, s'il le désire, la chasse et la pêche; il pourra de même apprécier de tout près style de vie dans les réductions indigènes, assister au Marché Artisanal "Chaqueña" à Quitilipi aussi bien qu'à la Fête Nationale du Coton.

LA MÉSOPOTAMIE ARGENTINE

Elle comprend les provinces de Misiones, Entre Ríos et Corrientes, el la partie "bonaerense" [de Buenos Aires] du delta du fleuve Paraná.

Nous parlons de quatre provinces, chacune ayant une réalité différente, encadrées dans leur presque totalité entre les cours des fleuves Paraná et Uruguay.

Les sierras et la forêt

À Misiones, la végétation toujours verte de la forêt, avec plus de 2000 espèces connues, comprend preque tout le territoire de la province, grimpe sur les flancs de ses sierras et contraste avec les terres rouges du sol; une formation de végétation enchevêtrée, de grands arbres (quebrachos, lapachos, "timbó", bois de rose, "petiribí", palmiers, "yatay" [espèce de palmier]), des fougères arborescentes, des lianes, des orchidées, des arbustes et, dans les zones les plus basses et inondées de la forêt, des mousses. L'once [panthère des neiges], le chat sauvage, le puma, le jaguar, l'élan, des singes, des coatis, les ours fourmiliers, des cerfs, des tapirs, plus de 400 variétés de petits et de grands oiseaux (cardinaux, calandres, perroquets, toucans) et un grand nombre de papillons y habitent. La chasse offre à l'amateur, des canards sauvages et des perdrix aussi bien que des pécaris, des cerfs, des sangliers et des élans; la chasse aux jaguarétés, aux pumas, aux ours fourmiliers, aux singes, aux écureuils, lui est gardée. La pêche sportive, surtout à la daurade, le plus brave des poissons, a son plus important centre dans la Réserve Nationale de pêche Caraguaytá. Plus de 50.000 ha de cette forêt correspondent au Parc et Réserve Nationale Iguazú où les caprices du relief ont donné lieu à l'un des plus imposants spectacles naturels de la Terre: les chutes de l'Iguazú, qui par l'abondance et le fracas de ses chutes, les arcs-en-ciel formés par les rayons du soleil traversant le fin crachin qui flotte sur l'eau et la forêt vierge qui lui sert de cadre, font partie du Patrimoine National et du monde entier. Misiones est terre de travail et de pionniers. Déjà au cours des XVII et XVIIIe siècles, les prêtres missionnaires de la Compagnie de Jésus y avaient installé dix réductions indigènes, modèle d'organisation politique - économique - religieuse; l'une des plus remarquables d'entre elles a été celle de San Ignacio Miní, à 25 kilomètres de Posadas, capitale de la province, dont les ruines, quelques-unes très bien conservées, surprennent le voyageur. Les sacrifiés mensús [travailleur immigrant paraguayen] qui ouvraient des sentiers en pleine forêt pour l'exploitation de la culture du maté, ont été successés par des immigrants, spécialement des allemands provenants du Brésil, qui ont enrichi la vie économique de Misiones de florissantes colonies agricoles comme celle de El Dorado. Le maté, le thé, le manioc, le tung, le tabac, les citrus sont devenus, de nos jours, objet d'une agriculture diverse et technifiée qui gagne terrain à la forêt et pourvoit à une importante agroindustrie. L'exploitation rationnelle de pins, dont les fibres sont aptes à la fabrication du papier, se mettent en évidence dans les importantes usines industrielles de Puerto Piraí et Puerto Mineral.

Les marais

En arrivant à Corrientes, ce que l'on remarque immédiatement c'est le doux accent de la langue "guaraní" qui prédomine dans le dialogue de ses habitants, bilingues dans sa totalité. C'est quelque chose qui enveloppe tout. Dans une espèce d'enchantement, on découvre comment la tradition et l'esprit patriotique vivent naturellement dans chaque individu, dans leurs villages et villes, dans les chemins de leurs églises et monuments. C'est difficile de les séparer du reste. Sa géographie, déprimée et couverte de marais dans le centre –marais de l'Iberá– où l'alligator et le nénuphar règnent, s'élève dans les contours et tombe en de pittoresques ravins vers les deux grands fleuves, le Paraná et l'Uruguay, qui l'embrassent. La forêt tropicale occupe les endroits hauts et se faufile vers le sud en accompagnant le cours des fleuves. Les plantations de riz, à peine au bord des marais, les eaux des fleuves incroyablement colorées par les oranges qui traînent jusqu'aux points de sélection et de procédé, la culture de tabac, le tapioca tellement attendu dans les foyers pour le presque ritual "chipá" [pain de tapioca], forment partie de cette terre de Corrientes. La pêche à la daurade ou "pirayú" réunit tous les ans à Paso de la Patria des amateurs qui concourent dans le tournois international. Les "combats de coqs" à Goya, deviennent aussi un centre d'attraction et de concentration de public: spectateur et parieur... Il est assez fréquent que le voyageur pendant son séjour à Corrientes, coincïde avec quelques-unes des célébrations qui, très souvent, secouent le rythme pausé de ses habitants: concernant la religion, les manifestations de pitié dans les fêtes de Nuestra Señora de Itatí et dans celle de la Cruz del Milagro; ayant un caractère de fête et d'un coloris éblouissant, le Carnaval correntino, dont la réputation a transporté les limites de la province; en hommage au travail de l'homme; la Fête Nationale du Thé à Oberá, celle du Tabac à Goya, celle de l'Orange à Bella Vista; au mois d'août, l'hommage au Libérateur José de San Martín dans le tout Corrientes et spécialement à Yapeyú où il est né; il faudrait aussi remarquer que les "correntinos" [habitants de Corrientes] ont été les grenadiers qui l'ont accompagné dans toutes ses campagnes.

Nous remarquons que la partie sud de Corrientes, à partir de la ville de Mercedes, doit être inclue dans la nommée "sub-région des coteaux ou collines "entrerrianas" [de la province d'Entre Ríos] pour ses caractéristiques spéciales.

Les coteaux

Dès le sud de Corrientes et jusqu'à la zone du delta du fleuve Paraná, c'est la terre des coteaux (la hauteur maximum dépasse à peine les 100 mètres), d'un climat doux et abondante terre noire pour la culture. La forêt d'Entre Ríos, qui a une époque a été nommée forêt de Montiel, a changé d'allure, cependant elle s'étend en forme de "forêts galerie" de saules, fromagers, "talas" [sorte de micocoulier] et "ñandubay" [arbre mimosacé], en suivant le cours des fleuves qui baignent la prairie herbacée. Sur le fleuve Uruguay, on peut observer des palmiers tels que le Parc et Réserve Nationale "El Palmar" à Colón, avec des milliers de palmiers "yatay", quelques-unes datant de plus de 800 ans (il y a des spécimens pétrifiés) qui poussent entre les mousses et les fougères au milieu d'un magnifique et mystérieux paysage de prairie, de dunes et de ruisseaux. Grâce aux conditions du sol et du climat, Entre Ríos appartient à la zone agricole la plus riche du pays; ses abondantes récoltes de céréales et de lin, la prodigieuse production de citriques, son nombreux et sélectionné élevage et la quasi-moitié de la production avicole de tout le pays, en sont témoins. L'agro-industrie accompagne le rythme de la production primaire. Dans son origine, terre de guaranis et de "charrúas"; l'immigration d'autres européens, spécialement d'allemands, s'est unie à la population hispanique, vers le milieu du siècle; de cette dernière immigration, les colonies allemandes à Gualeguaychú offrent un témoignage ravissant. Les armées patriotes sont passées par ces terres; d'ailleurs, elles ont été le champ de bataille dans les luttes pour l'Organisation Nationale. Parmi ses villes, Concepción del Uruguay a été capitale de la Province jusqu'à 1883; d'illustres personnages du pays ont reçu leur éducation dans son Collège National. À quelques kilomètres de Concepción, on peut visiter le Palacio San José, d'une imposante édification, qui a été construit comme résidence permanente pour le général Justo José de Urquiza. Paraná dans les ravins du fleuve, est reliée à Santa Fe par le tunnel subfluvial Hernandarias de plus de 2900 mètres de largeur; située dans une position stratégique, au milieu d'une splendide végétation naturelle, la ville de Paraná a été à son époque, bastion de défense face à l'ennemi. Entre les oeuvrages d'art d'infrastructure réalisés, se détachent, outre, le complexe ferro-vial Zárate-Brazo Largo d'une grande importance dans la communication de la Mésopotamie avec le reste du pays et celui de Salto-Grande qui comprend, en plus, une centrale hydroélectrique, oeuvre conjointe de l'Argentine et l'Uruguay.

Le Delta du fleuve Paraná

À un peu plus de 30 km du centre de la ville de Buenos Aires, l'un des plus beaux paysages du pays. Avant de déboucher dans le río de la Plata, le fleuve Paraná se dirige vers l'est et se divise en plusieurs bras et, à la fois, en canaux et ruisseaux qui prennent des différents noms et renferment de nombreuses îles d'une végétation serrée. Tout contribue à donner du rythme et de la couleur au paysage: la verdure des arbres, le rouge de la fleur du fromager, les orangeraies, l'eau qui parfois prend un ton vert cristallin, les voiles des yachts, le coloris des produits transportés; le continuel voltiger des oiseaux, le doux balancement des sauces qui baignent leurs branches dans les rivages, le brouhaha des canots avec des écoliers, le son de sifflets et sirènes dans les chaloupes, le sillage écumeux de toutes ces embarcations. Dans les îles, des constructions diverses et variées: des quais et de pittoresques logements qui, à la manière de palafittes, enfoncent leurs pilots dans l'eau; parmi elles, celles des auberges et de "plaisance". Comme centre de distraction, le Delta offre, en outre, le plaisir de parcourir ses eaux en embarcations privées ou louées, toute sorte de sports nautiques patronnés par des institutions de prestige: cannotage, ski, motonautique, yachting, surf; de même, pêche et chasse de champ. Le Delta est aussi, le cadre d'une population stable; de ses habitants primitifs, les guaranis, il ne reste que des marques dans les noms des lieux; il n'existe pas de centres urbains, sauf quelques-uns formés à la suite de la construction du complexe Zárate-Brazo Largo. Le travail est pénible, les terres son inondables et l'homme doit construire des oeuvrages de défense qui lui permettent d'obtenir du sol, des fruits et des légumes; il a aussi réussi l'obtention de la croissance du "formio" [lin provenant de Nouvelle-Zélande], et de l'oisier. Néanmoins, le Delta concentre plus son effort aux plantations de pins, des arbres riches en cellulose pour la fabrication du papier. Le climat est son grand allié.

LA PAMPA

Elle comprend la Pampa humide, le tiers de l'étendue totale de la région et la Pampa sèche ou Steppe; elle s'étend dans la quasi-totalité des provinces de Buenos Aires et de La Pampa et en partie des provinces de San Luis, Córdoba et Santa Fe.

Lorsque l'on parle de La Pampa, beaucoup de personnes font allusion à l'Argentine entière; il est difficile de corriger cette erreur surtout si le voyageur entre dans le pays par Buenos Aires. Qui pourrait le convaincre que ces 700.000 km2 de "pampa" –presque le 20% du territoire national– ne forment pas la totalité du pays? Son sol plat, légèrement ondulé au nord et nord-ouest, un peu déprimé dans le centre, ne se transforme en plaine élevée que face aux serranías de Córdoba. Il est seulement interrompu par les sierras de Tandilia et de Ventania. Les ravins sur les fleuves Paraná et le Río de la Plata sont succédés par une côte basse, avec des dunes et des plages, et avec quelques tronçons rocailleux et escarpés. Le climat tempéré et humide, dans la presque totalité de la région favorise le développement de la prairie naturelle grasse. Pampa signifie "terre dépourvue d'arbres". Il n'y a des forêts que dans la périphérie de la région: des dégagements de la forêt à côté du fleuve Paraná et la végétation du maquis, de pâturages secs et d'arbres isolés, au sud-ouest dans la steppe. En général, un paysage naturel monotone, sans les singularités des autres régions. Mais l'homme à La Pampa a modifié le milieu: des millions d'arbres apportés de tout le monde –pins, peupliers, paradis, eucalyptus, cassier, palmiers– ressemblent aux véritables formations forestières autochtones; la terre travaillée soigneusement offre à l'ensemble des couleurs différentes et changeantes, selon l'époque de l'année et la variété des cultures: le lin et le tournesol, les céréales et les fouragères, ou les arbres fruitiers fleuris; tout, dans les étendues immenses qui s'égarent à l'horizon. Ce paysage "naturel" est complété par les milliers de têtes de bétail qui peuplent les luzernières, les hautes tours de silos, les belles maisons d'estancias agricoles et d'élevage –l'un des plus beaux représentants est la maison de "La Biznaga" à Roque Pérez– et aussi les modestes "ranchos" à l'ombre des arbres. Le paysan de La Pampa, notre gaucho, écuyer habile, héros anonyme dans la gestation de la Patrie, il conserve des moeurs et des traditions qui font de lui un symbole de la région; il est fidèle à son vêtement, inséparables poncho et "chambergo" [chapeau nou à large bord], à son

"facón" [grand couteau], à son harnachement, au maté à toute heure et au prix d'"un bon asado"... Ce paysage bucolique se voit de nos jours interrompu à cause de la prolifération d'espaces réservés à l'industrie, puisque le 85% de la production du pays a son origine dans les centres manufacturiers de La Pampa. Ces centres déterminent la distribution inégale de la population: tres répandue dans les villes et villages ruraux de l'intérieur du pays; bigarrée dans les villes périphériques telles que Córdoba, Rosario, Buenos Aires, Bahía Blanca, etc et leur respective conurbation, sièges d'une activité industrielle et, à l'exception de Córdoba, de ports actifs.

À La Pampa, à cause de ses dimensions, il devient difficile de tout embrasser en peu de temps. Éloigné à peine de quelques kilomètres des centres urbains, le voyageur peut profiter du spectacle de ses champs et jouir des traditions et des moeurs du milieu rural. Si nous invoquons l'Histoire nous serons certains que chaque lieu de La Pampa a quelque chose à raconter. La fondation de ses villes –Santa Fe, Córdoba, Buenos Aires– la ménace de razzias des indigènes, la conquête du désert, les luttes internes pour la consolidation de la Nation, ont fait un protagoniste de chaque ville et de chaque village. Quelques-uns montrent avec fierté leur origine comme de simples fortins d'avancées dans le désert; d'autres, telles que la ville de Córdoba, conservent presque en plénitude, le témoignage du passé. Celle-ci est la voie d'accès à la région "serrana"; d'ailleurs, elle préside l'ouverture vers la plaine et, spécialement, vers La Pampa. Grâce à sa situation géographique stratégique et ses ressources naturelles de facile accès, elle a été dès sa fondation, en 1573, un pôle d'attraction pour la population. Actif centre de tradition culturelle et religieuse, ses témoins sont la Cathédrale, bijoux de l'architecture hispano-américaine, le temple et Collège de la Compagnie de Jésus, l'édifice de l'Université, le Cabildo, tous appartenant au XVIIe siècle, et couvents et résidences seigneurales d'un accentué style hispanique qui parlent d'un passé riche dans toutes leurs manifestations. Aujourd'hui, Córdoba, siège de l'Université de Córdoba et de beaucoup d'autres institutions culturelles, elle devient poste d'avancée dans l'économie d'une étendue contrée agricole, la deuxième ville du pays en tenant compte de son nombre d'habitants et l'un de ses principaux centres industriels; le procédé d'industrialisation a transformé Córdoba en une grande ville, dans les dernières trente années, non seulement par le nombre d'habitants qui à bref délai s'est multiplié, mais aussi par la quantité et la diversité d'activités que ceci a originé. À La Pampa, les stations balnéaires sur la côte atlantique, étant Mar del Plata, le plus grand centre touristique estival du pays, sont des pôles d'attraction d'une dense population temporaire. Enclavée dans une région privilégiée (on parle d'un excellent "microclimat"), l'océan qui baigne ses étendues et nombreuses plages, le spécial goût de son édification, les fleurs qui embellissent ses jardins et son allure de grande ville, y brillent tous de la même façon. Point d'attraction pour des connaisseurs et amateurs, c'est le "Haras Ojo de Agua" à El Dorado, près de la lagune La Brava; il est devenu célèbre pour la production et sélection des chevaux pur-sang de course, triomphants dans les plus importantes compétitions.

Rosario, la troisième ville du pays, pour le nombre de ses habitants, exhibe son port avec fierté, où la production du nord et celle du centre de la République arrive pour atteindre la route del Plata et celle de l'Océan. La spéciale idiosyncrasie des "rosarinos", dans la plupart d'origine italienne, ont fait de Rosario un vigoureux centre de travail et de progrès, que l'on peut admirer dans ses parcs et avenues et sa moderne édification. À Parque Belgrano, où se dresse le Monument à l'enseigne patriote et à son créateur –oeuvre de plusieurs sculpteurs argentins–, entoure le lieu où il a été hissé pour la première fois; le parc Independencia est l'un des plus beaux et étendus du pays. À Santa Fe, outre sa capitale fondée par Juan de Garay, même avant que Buenos Aires, nous ne pouvons pas oublier de signaler Esperanza, la première colonie agricole argentine, fondée en 1856 par Aarón Castellanos.

Le fait de conclure ce sommaire relevé de ce qu'est l'Argentine et ce que l'Argentine offre en tant que pays, y compris la région de La Pampa, n'est pas un hasard; il coïncide avec l'heureuse idée d'Aldo Sessa de terminer la série de photographies qui composent l'oeuvre par trois magnifiques prises faites à l'Estancia "Don Manuel", à Rancul, précisément à la province de La Pampa. Sur ces photographies, la flamme du feu de camp entouré de muletiers, maté et guitare à la main, remplace la lumière du soleil.

L'ARGENTINE. Une aventure photographique.

Épigraphes

Ville de BUENOS AIRES. Capitale Federale.

p. 14. L'Obélisque (détail).
p. 15. Avenue 9 de Julio. L'Obélisque.
p. 16. Aspects de la ville: a) Bateau-école A.R.A. LIBERTAD pavoisé et avec des gabiers dans les vergues. b) Les autobus. c) Place Coronel Dorrego, marché aux puces. Quartier de San Telmo. d) Fontaine "Les Néréïdes" par Lola Mora. Avenue Costanera sur [Cotière Sud]. e) Exposition à la

Uma aventura que começa no próprio atelier de Aldo Sessa quando, com a mesma atitude, diz: "vou fotografar o Obelisco" ou "parto para Ushuaia"... e, com muito pouca coisa além de suas máquinas, viaja. Volta rapidamente, ou quase imediatamente, de acordo com as distâncias, com os seus rolos e as suas valiosas anotações. Agüenta firme os resultados do laboratório e, com as fotos no visor, exclama: "que sorte maravilhosa!".

Sorte?... Seria mais correto acreditar nas suas qualidades de artista, e no seu estrito profissionalismo. De acordo com o que ele diz, as cenas "acontecem": um oportuno jogo de luzes entre as árvores (85)*..., cavalos, os quais, nesse momento exato, resolvem ir beber água numa poça (162)..., os ônibus reunidos como se fosse para uma "partida" em Palermo (16b)..., uma fogueira pronta para a "mateada" (= o chimarrão saboreado entre amigos) (212/215)... Sim, as coisas acontecem, mas são diferentes quando aquele que as contempla e as plasma na tela de um quadro ou as fixa num filme, é um artista. A esse respeito recordamos a reflexão ouvida um dia dos lábios de um professor de Arte: "O néctar das flores está ali, à disposição de qualquer inseto, mas como é diferente o produto final, quando é a abelha quem o sorve!".

E bem..., esta "aventura fotográfica" que Aldo Sessa realiza com aqueles que percorrem estas páginas, tem como cenário o grande espaço geográfico que ocupa a República Argentina. Extensa, sobretudo em latitude, abrange todas as paisagens, todos os climas. Coroada ao norte pelo Trópico (57c, 138, 147), seu extremo-sul atinge as latitudes geladas (27); reclinada ao oeste sobre uma das mais altas cordilheiras da Terra (161), estende suas férteis planícies ricas em gado (206-209) e seus áridos planaltos (38-39) em busca do mar-oceano (114-115) que banha suas costas orientais. Para o deleite daqueles que se interessam pelo passado, a lente de Sessa registrou também as marcas que o tempo deixou em sua passagem por todos os confins do país: monumentos naturais, talhados pelos ventos e as águas (149), petroglifos (136), construções pré-hispânicas (183), emocionantes testemunhas do primeiro balbuciar da arte hispano-americana (181a,b) e as mais lindas manifestações do seu brilhante apogeu (101). Registrou também algumas das atividades do homem, como as próprias do campo (41, 156, 208), a da extração do petróleo (124b), a exploração do bosque (24) ou as desportivas, como a pesca (200) ou o esqui (165).

Este é um espaço muito pequeno para analisar todas as imagens expostas; por outro lado, é melhor que cada qual as saboreie a seu modo e que muitos anexem a elas as suas lembranças e as suas saudades.

Este livro não é, portanto, nem uma guia turística, nem um texto de Geografia, embora eles também pudessem ser uma obra de arte nas mãos de Sessa. Acima de tudo, está destinado ao prazer visual de quem percorre as suas páginas. É um rico conjunto de imagens no qual campeiam: a *criação* em sua estrutura geral; nos temas, o *extraordinário* (16c, 148a), o *contraste* que nos conduz repentinamente, da Praça San Martin em Buenos Aires (17) à Ilha dos Estados (26) na "ponta sul do mapa"..., ou de junto à chama votiva do Monumento à Bandeira em Rosário (54-55), ao pé de um "palo borracho" na selva de Formosa (56) e a *autenticidade* já que nenhuma das fotos é produto de "truccatura" (= truque) de laboratório.

A obra representa a Argentina enfocada pelo próprio Aldo Sessa: "fico de pé no alto da montanha e vejo..."; é um trabalho feito com liberdade e sem pressões. Às vezes se detem num tema como se estivesse apaixonado (65/67, 116, 117, 148, 180-181, 210-211). Tem suas preferências: parece que gosta mais de Uquía (181), do que de um templo de rica ornamentação. E até cai em reiterações que, pouco após, são acertos felizes.

Embora não os evite totalmente, procura lugares que não são os habituais do turismo; assim é o caso da Estância Santa Catalina (100/107) da qual o arquiteto Mario J. Buschiazzo havia dito: "Não longe de Jesus Maria, para o oeste, onde começam as serras, ergueram os jesuítas, a partir de 1622, a melhor e mais formosa das suas estâncias". E o dessa rua de Humahuaca com gárgulas para escoar a água dos seus telhados (186-187) ou da carroça com mulas em Mansupa (197a). Temos a certeza, isso sim, de que muitos desses lugares, e graças à influência das fotos de Sessa, serão anexados ao itinerário turístico daquele que gozar deles previamente através deste livro; é que estamos diante de um experimentado didata que *ensina a ver*.

Como homenagem, não falta ao encontro nenhuma das províncias argentinas; alguns ficarão com o desejo de "um bocadinho mais", porém deverão compreender que esta é em si uma visão quase musical deste imenso país, tão difícil de capturar, de ver e de compreender. Os pequenos acordes não são os menos importantes...

E, como em toda aventura, são muito úteis os *mapas* que nos ajudam a orientar-nos e a não ficarmos perdidos... Nas últimas páginas deste livro (216/220), uma cuidadosa seleção deles explica "onde está localizada a Argentina no mapa do mundo", a equivalente situação geográfica, no Hemisfério

Sul, de algumas das suas cidades, com respeito às mais conhecidas do Globo no Hemisfério Norte" e "a quantos quilômetros chegam suas grandes dimensões e distâncias internas"; por último, um mapa com a "divisão político-territorial do país", acompanhado de um "índice de topônimos" que servirá para orientar o leitor e situar os lugares que "descrevem" as fotografias do livro.

Ao argentino que, através destas imagens, amará mais o país que o viu nascer e ao estrangeiro que aprenderá a amá-lo, desejamos um grande êxito nesta "aventura fotográfica".

* Números das páginas onde se encontram as fotos que ilustram o exposto.

A organização especial com que Aldo Sessa apresenta as fotografias neste livro, corresponde a um objetivo preestabelecido: o de *mostrar o país em seus contrastes*. Com este critério consegue, além de manter viva a atenção daquele que percorre as suas páginas, realçar o protagonismo que o artista dá ao ritmo e à cor.

Em consonância com este objetivo, foi sentida a necessidade de redigir um texto que servisse de "coluna vertebral" e de ponto de referência para orientar o leitor acerca dos lugares e temas que as fotografias ilustram e da sua ambientação regional dentro da geografia do país.

ARGENTINA. O país.

Com uma harmônica distribuição dos seus acidentes geográficos que permite a fácil comunicação entre os pontos mais opostos e distantes da sua imensidão geográfica; com uma feliz distribuição de climas, abundância de terras cultiváveis, disponibilidade de água para a irrigação e para o aproveitamento energético e um subsolo rico em hidrocarbonetos; com uma população de bom nível cultural, sem problemas raciais nem religiosos, de reconhecida capacidade técnica e profissional e de utilização de tudo aquilo que o progresso, a civilização e a cultura oferecem, a Argentina é o país em que homens provenientes de todos os confins da Terra, encontram o seu habitat próprio.

BUENOS AIRES. Capital Federal da República.

Cada portenho, homem ou mulher, sente como se Buenos Aires fosse sua e para ele é muito difícil falar sobre ela. Porque Buenos Aires "é assim"..., não tem nem grandes defeitos, nem extraordinárias qualidades. É amada, e nada mais... Buenos Aires com as suas ruas e avenidas, bem ou não tão bem pavimentadas; seus bairros modestos, outros menos modestos e os opulentos. A sua edificação, elegantíssima, no melhor estilo de Paris ou de Londres, em muitos lugares; "plantada" de edifícios em centro de terreno com todos os apartamentos dando ao exterior e arranha-céus em outros; com bairros inteiros de requintado bom gosto; e muitas vezes, é bom reconhecê-lo, multicolor, heterogênea e em contraposição a qualquer estilo. Seu trânsito infernal tem os "coletivos" como seus diabinhos travessos...

Buenos Aires são muitas coisas... Comecemos pelas *árvores*, bastante raro tratando-se de uma grande e populosa cidade. "As árvores de Buenos Aires"!. Por todas as partes, árvores, não só nos parques, desenhados por paisagistas da envergadura de *Carlos Thays*, criador do *Jardim Botânico*; neste parque, mais de 5 mil espécies de plantas de todos os climas, distribuídas com critério científico, compartem o recinto com pontes, estátuas e construções de alta qualidade artística. Em *Belgrano* e em *Palermo*, as ruas são túneis de verde; muitas árvores são de folhas perenes. Outras, em suas florações, como a *tipa* e o *jacarandá*, cobrem de cores o pavimento; muitas vezes, um sinal de trânsito, desesperado, procura não fazer os seus sinais, entre o emaranhado de ramos, de folhas e de flores... Enquanto no *Parque Três de Fevereiro* o *Rosedal* ostenta as suas galas, o *Pátio Andaluz* as suas majólicas esmaltadas e o *"aguaribay"* balança junto ao lago, nos arredores da *Recoleta*, o *"gomeiro"* imenso, abarcador, recolhe atencioso, da mesa dos bares, diálogos de amor, de política, de economia; muito perto, o *"ombu"* se esparrama preguiçoso, cativado pelo perfume da opulenta *magnólia*. Mais longe, *tílias* e *framboeseiras* são arautos da primavera. Uma multidão de *jacarandás* engalanam tudo com as suas flores violáceas, mesmo antes que apareçam as suas folhas; para não serem inferiores, os *"palos-borrachos"* se vestem de rosa para a despedida do verão. Todos eles, mais aprumadas *palmeiras, carvalhos, pinheiros* e *cedros*, povoam as *praças de Buenos Aires*, possivelmente as melhor arborizadas do mundo.

Buenos Aires são os seus cinquenta bairros. Emoldurados em um polígono de 200 quilômetros quadrados de superfície, os seus contornos são a avenida *General Paz*, o *Riachuelo* e o *Rio de la Plata*; não obstante, a zona de influência da Capital Federal se prolonga aos distritos suburbanos com jurisdição na província de Buenos Aires, os quais compõem o *Gran Buenos Aires*. Alguns deles: *Vicente López, San Isidro, Tigre*, a zona do *Delta do Paraná, Bella Vista, Hurlingham, Adrogué*, entre

outros, com os seus clubes, casas de fim de semana ou de residência permanente, jardins e lugares de passeio, funcionam como a continuação e o arejamento da grande cidade. Fundada em 1580 por Juan de Garay (a chamada "primeira fundação" não foi assim, senão um simples estabelecimento), Buenos Aires se reclina sobre o Plata, largo, com pretensões de mar, mas de água doce e "cor de leão". Os portenhos gostariam de ter o seu rio mais ao seu alcance e aproveitá-lo em toda a sua dimensão, sem que o impeçam os diques do porto, as usinas, os elevadores de grãos, o trem... A avenida *Costanera* satisfaz, em parte, os seus desejos e também o fazem os últimos andares das belas e altas edificações que se alinham em toda a extensão das avenidas *Colón, Além* e *del Libertador*.

Buenos Aires, em seu conjunto, tem o desenho de um tabuleiro de damas; as suas ruas se cortam em ângulo reto. Muito poucas diagonais interrompem este esquema. Uma longa avenida, *Rivadávia*, percorre-a de leste a oeste e a divide em duas partes quase simétricas. Muito em breve, a avenida *9 de Julho*, de mais de 100 metros de largura, completará o seu traçado norte-sul enfeitada no seu centro pelo *Obelisco*, símbolo moderno da cidade, obra do arquiteto Raúl Prebisch. Para ele convergem, além do mais, a avenida *Corrientes* e a *Diagonal Norte*. Se falamos de avenidas, não podemos deixar de mencionar a muito espanhola e muito nossa *Avenida de Mayo*, que estende o seu percurso entre o palácio do *Congresso da Nação* e a *Casa Rosada*, sede do Poder Executivo, em frente à *Praça de Mayo*. Não podemos deixar de resistir à tentação de enumerar alguns dos edifícios de Buenos Aires monumental: o *Correio Central*, o Palácio de Justiça, as casas matrizes de *Bancos nacionais e estrangeiros*, os *novos conjuntos das Catalinas*, junto aos muito queridos edifícios das suas *igrejas*, já seculares: *San Ignácio, San Francisco, Santo Domingo, Nuestra Senhora de la Merced*. Um capítulo à parte merece a *Escultura* que povoa praças, jardins e avenidas, e que surpreende aos que passam por sua beleza, por sua elegância e pelas valiosas firmas que lhe servem de aval. São testemunhas do que afirmamos a incomparável figura do *Monumento de los Españoles* (= Monumento dos Espanhóis) de Agustin Querol; o *monumento ao General Carlos Maria de Alvear* de Antoine Bourdelle, autor também de *"El Centauro Herido"* (= O Centauro Ferido) e de *"Heracles"*; *"La Cautiva"* (= A Cativa) de Lucio Correa Morales; *"Las Nereidas"* (= As Nereidas) de Lola Mora; *"Canto al Trabajo"* (= Canto ao Trabalho) de Rogélio Yrúrtia; *"El Arquero"* (= O Arqueiro) de Alberto Lagos; o *monumento a Nicolás Avellaneda* de José Fioravanti e, de Augusto Rodin, *"Sarmiento"*. Por outro lado, a instalação de museus, embaixadas e outras instituições em casas e palácios erguidos na cidade, como residências particulares, por volta dos princípios deste século, preservou-os da picareta demolidora do progresso. E tanto foi assim que hoje se exibem como jóias, entre outros: o *Palácio Errázuris*, sede do Museu de Arte Decorativa cujo arquiteto, René Sergeant, inspirou-se nas fachadas de Gabriel que rodeiam a Praça Vendôme em Paris; o *Palácio* do Ministério de Relações Exteriores; os palácios ocupados pelas embaixadas da Itália, dos Estados Unidos da América e pela do Brasil —estas duas últimas de Sergeant— da *França*, A *Nunciatura Apostólica*, o *Círculo Militar*, o *Museu Fernández Blanco* de estilo barroco americano; a casa do escritor *Enrique Larreta*, hoje *Museu* que leva o seu nome, de puro estilo espanhol. Seria oportuno destacar a bela imagem que oferece o conjunto arquitetônico que circunda a praça Carlos Pellegrini no bairro de Retiro.

Com uma história relativamente jovem, Buenos Aires está, não obstante, cheia de recordações, mais até que de testemunhas materiais que foram, em sua maioria, desaparecendo com o tempo. Entretanto, em recantos seguros da memória, em cartas e documentos conservados, pode-se facilmente indagar sobre o passado e reconstruí-lo com bastante fidelidade. A *Praça de Mayo*, antiga Praça da Vitória, é a pedra angular dos tempos passados; o *Cabildo* é a sua mais antiga testemunha; a *Catedral Metropolitana*, de estilo neoclássico, guarda o mausoléu onde repousam os restos do general José de San Martin. Ao sul da Praça estão os bairros de Monserrat e de San Telmo; nos casarões de um ou dois andares que ainda sobrevivem, alguns com grades, há grandes pátios com varandas e um ou outro poço de água —A *Santa Casa de Exercícios Espirituais* é uma mostra cabal desse estilo de edificação— poder-se-iam ouvir as vozes de muitos dos homens e mulheres de cujos nomes as páginas da nossa História estão repletas; muito perto, o *Parque Lezama*, outro exemplo de fusão entre a natureza e a arte. Na *Recoleta*, hoje um dos lugares de passeio mais concorridos e elegantes da cidade, erguem-se a *Basílica Menor de Nuestra Senhora del Pilar*, do século XVIII, e o *Cementério del Norte* (= Cemitério do Norte), comumente chamado Recoleta, inaugurado em 1822, que relembra o estilo das necrópoles de Gênova ou de Milão; alguns dos túmulos e mausoléus são obra de artistas de renome, como *José Fioravanti, Pedro Zonza Briano*, autor de "El Redentor" sobre a avenida principal, *Alfredo Bigatti* e muitos mais. Por sua vez, os bairros de *Belgrano, Balvanera, San Nicolás, Retiro*, entre outros, são, com as suas praças e os seus parques, as suas casas e as suas igrejas, outros tantos capítulos desta jovem História.

Buenos Aires é a sua gente. A Capital com os arredores reúne 10.000.000 de habitantes. Se passeamos por Florida, uma das ruas mais concorridas, ficamos impressionados com a "Babel" de raças e de nacionalidades que desfilam por ela e a variedade de línguas, ou simplesmente matizes, que empregam em seus diálogos. Todas essas pessoas são as mesmas que residem nos bairros portenhos e convivem, todos com todos, sem problemas de origem ou de religiões. Essa é a causa do perfil da gente de Buenos Aires, cordial, aberta, espontânea, acolhedora.

A cidade é a sede da mais importante das universidades nacionais do país, de várias universidades particulares, de institutos de ensino superior, de colégios tradicionais, de academias e de centros de pesquisa; ao mesmo tempo é, com freqüência, escolhida como lugar de encontros nacionais e internacionais de simpósios e congressos referentes a todos os ramos do saber. O *Museu Nacional de Belas Artes*, na Avenida del Libertador, reúne uma importante quantidade de obras de pintura e de esculturas de todos os tempos e de todas as escolas. Bibliotecas públicas, oficiais e de instituições particulares, assim como também diversos arquivos, estão ao serviço de estudiosos e diletantes. O *planetário Galileo-Galilei*, no belo marco dos jardins de Palermo, com uma excelente organização proporciona a estudantes e estudiosos, valiosa informação relativa aos últimos avanços da Astronomia e Astronáutica. Deixando atrás o planetário, rumo à *Praça Itália*, caminha-se pela esplêndida *avenida Sarmiento*, protegida por um lado pelo *Jardim Zoológico*, onde as crianças, e também os adultos que as acompanham, ficam extasiados frente aos animais exóticos e às não menos exóticas construções que os alojam; pelo outro lado, passa-se diante de jardins do Parque 3 de Febrero e se chega ao terreno que a *Sociedade Rural Argentina* ocupa em Palermo. Neste lugar, todos os anos, entre os meses de julho e agosto, a Sociedade Rural realiza a *Exposição Nacional de Gado e Indústria*. O abundante público que assiste a esta "festa do campo na cidade" pode admirar, nos espetaculares exemplares de animais exibidos, o esforço que se realiza no nosso país para conservar o merecido título de ter conseguido uma das melhores pecuárias do mundo.

Em matéria de espetáculos, Buenos Aires é pródiga em salas de teatro e de cinema. O *Teatro Colón* é um dos cenários líricos mais afamados do mundo; o seu belo edifício, assim como o do Teatro Nacional Cervantes, são duas jóias arquitetônicas: o Colón, exemplo de construção de fins do século passado e princípios do século XX; o Cervantes, do mais puro estilo "Plateresco" (= 1º período do Renascimento espanhol) espanhol.

Se falamos de esportes, o futebol, além da sua característica de esporte-espetáculo, em Buenos Aires é uma paixão que não respeita idades nem condições sociais ou econômicas, está por cima das diferenças políticas e invade todos os setores... As partidas entre o *River Plate* e o *Boca Juniors*, os dois clubes que concentram o maior número de torcedores, ocupam durante muitos dias os lugares de destaque da crônica diária dos meios de difusão. A "polêmica sobre o futebol" começa no lar, desata-se no estádio, prolonga-se no colégio, no consultório, no escritório, na faculdade... Em número de torcedores o turf não fica em posição inferior, "los burros" em linguagem popular; dois grandes hipódromos: o de Buenos Aires, em Palermo, e o de San Isidro, pertencente ao Jockey Club, são cenários onde exibem as suas cores, cavalos procedentes de afamados haras argentinos e também do exterior. O *polo* ostenta com orgulho equipes de 40 tentos que, com cavalos de renome internacional pela sua qualidade e treinamento, destacam-se como os melhores do mundo.

Não podemos terminar esta referência a Buenos Aires sem mencionar alguns dos lugares de forte atração turística que são, ao mesmo tempo, motivo de prazer e de diversão para aqueles que habitam esta grande cidade. Partindo da localidade de Tigre –"el Tigre", para os portenhos– chega-se ao *Delta do Paraná*, cuja descrição o leitor achará neste mesmo livro; a poucos quilômetros do centro de Buenos Aires, o viajante poderá gozar, em toda a sua plenitude, de uma paisagem semi-selvagem de forte tom tropical. Uma excursão pelos seus rios e canais, por qualquer dos meios que estão à disposição, inscreve-se entre as recordações perduráveis. Não é de menor escala um passeio pela zona suburbana de *San Isidro*, rica em lembranças e admirável pelas suas casas e jardins. Na mesma cidade é possível gozar, além da excelente cozinha internacional em todas as partes, do prazer de saborear a melhor carne do mundo em churrascarias instaladas em pleno Centro ou em toda a extensão da *Avenida Costanera*. Não é sem orgulho que a cidade oferece ruas e avenidas: *Florida, Santa Fé, Alvear, Arenales, Callao*, e outras, nas quais as lojas são vitrinas que mostram a elegância e o bom gosto que predominam na roupa de passeio de mulheres e de homens, e nos detalhes que as acompanham; o mesmo acontece com os objetos relacionados com a decoração e o conforto da casa, do escritório, do jardim. Inclusive nos bairros, em determinadas ruas, concentram-se lojas que dão exemplo do bom gosto dos argentinos pelas coisas bem feitas e bem apresentadas, como é o caso da avenida *Cabildo* no bairro de Belgrano. Uma caminhada por *San Telmo*, reino dos antiquários, especialmente aos domingos, quando se instala na praça Coronel Dorrego a chamada *"Feira de San Telmo"*, proporciona o grande atrativo de poder contemplar e adquirir coisas "velhas" e coisas antigas. Tanto em San Telmo como em La Boca (rua Caminito) e em outros lugares da cidade, pode-se ouvir cantar o *tango*, de profunda raiz popular, vê-lo dançar por consagrados dançarinos e, se se quiser, dançá-lo também. Os nomes de Carlos Gardel, Homero Manzi e Julio De Caro estão associados à sua gênese e "presentes" nestes lugares.

A MONTANHA E O PLANALTO

O NOROESTE

Compreende a província de Jujuy e parte das províncias de Salta, Catamarca e Tucuman.

Na Puna (= planalto frio e árido), panorama estranho, diferente, o Noroeste participa da augusta sobriedade do Altiplano, onde reinam o vento branco, o "íchu" (= capim duro de clima frio) amontoado, os cactos. No domínio das serras sub-andinas, uma orografia antiga, trabalhada por movimentos telúricos, pelas águas e pelos ventos; vertentes abertas pelos rios que servem de portas aos magníficos anfiteatros dos vales. Em suma, uma paisagem complexa, na qual se passa do dia ardente, com céus sem nuvens, à noite gelada; da aridez mais pobre, na qual só sobrevive a palha brava no oeste, à selva tropical em direção ao oriente, rica em jacarandás e ipês (= Tabeuias); no centro, montes de eretos cardos gigantes nas ladeiras e vertentes, habitat de "guanacos", "alpacas", "vicunhas" e lhamas. Por aqui chegaram, partindo do Peru, os conquistadores e aqui ficaram; os vales são, ainda hoje, lugar de estabelecimento de povoados antiquíssimos que abrigam em zelosa simbiose o autóctono e o hispânico. Disso falam a sobrevivência de velhas técnicas agrícolas unidas às aprendidas do espanhol, as vestimentas nas quais convivem o poncho indígena e o xale usado pelas mulheres como a mantilha madrilenha ou andaluza que cobre parte do rosto, as graciosas batas e camisas bordadas, as sandálias de couro e o rico folclore musical, para não falar das comemorações religiosas, mistura do mais puro panteísmo e as mais imaculadas crenças cristãs. O homem, proveniente de muitas partes, que chegou depois com as suas torres de petróleo, os seus diques e represas, os seus cultivos e a sua pecuária tecnificados, os seus altos fornos ou as suas explorações de urânio, sente-se agradavelmente preso nas redes de sólidas tradições e não desdenha beber a deliciosa chicha roxa (= bebida fermentada feita à base de milho) que lhe oferecem pelo caminho, vestir o colorido poncho dos índios "calchaquíes" ou o vermelho e preto dos saltenhos e gozar das delícias do entardecer nas frescas varandas das casas de telhados vermelhos. Bem abastecido reduto arqueológico para estudiosos e pesquisadores, expoente de um folclore cujos sons transpõem o seu próprio âmbito, legítimos vestígios da arte hispânica, paisagens belas e extraordinárias, demonstrações de uma moderna e promissora atividade econômica, fazem do Noroeste um dos mais cativantes centros turísticos da Argentina. Eis aqui só algumas das realidades que, desta região, o viajante pode levar nos seus alforjes: em La Quiaca, em Jujuy, todo o colorido de *"La Manca Fiesta"*, a única feira de trocas ainda existente no país. A visita de *Humahuaca* na quebrada do mesmo nome, pórtico de entrada à Puna e notável jazida arqueológica; muito perto, em *Tilcara*, a fiel reconstrução do *Pucará* (= forte indígena) e a sinfonia de cores da montanha em *Purmamarca*. Em *San Salvador de Jujuy*, o estupendo talhado em madeira de "nhandubay" (= árvore da família das Mimosas) do *púlpito da Catedral e a igreja de San Francisco*; em *Uquia*, a *igreja do povoado*, típico expoente da arquitetura do Altiplano. Já em Salta, os caminhos bordejados de ipês, algarrobos e "palos borrachos" (= Chorisias) do *vale de Lerma*, levam à imponente *quebrada del Toro* percorrida pelo "trem das nuvens". A caminho de *Cafayate*, na quebrada que tem o seu nome, chama a atenção do espectador o colorido da vegetação e as estranhas formas talhadas pelo tempo na montanha. *Salta*, rica em tradições, permite-nos admirar na capital, Salta "a linda", a *Catedral*, o *Cabildo*, a *igreja de San Francisco*, o *convento de San Bernardo* e, sobretudo, as suas casas antigas; nas suas cidades e povoados, um rico filão, mistura de piedade, de história e de folclore como a *Festa do Milagre*, a da Candelária, o Carnaval, o *"La Guardia sob as estrelas"*. E, no meio de uma difícil geografia, campos cobertos de tabaco, videiras, cana de açúcar e cereais; uma rica pecuária, sobretudo de camélidos e ovinos à qual se une a produção florestal, a mineira, a do petróleo, a de gás natural e a de energia hidroelétrica. *Tucuman*, rota obrigatória desde época hispânica entre o Alto Peru e Buenos Aires, foi cenário da conquista e de importantes acontecimentos históricos. O rápido crescimento da sua população foi devido à variedade e quantidade dos seus recursos naturais, com o que em pouco tempo, Tucuman, a mais reduzida das províncias argentinas em extensão, transformou-se em um dos centros mais densamente povoados do país. A sua capital, *San Miguel de Tucuman*, onde a 9 de julho de 1816 teve lugar a Declaração da Independência, é hoje um rico centro agro-industrial e sede da *Universidade Nacional de Tucuman*, um dos centros culturais mais importantes do país. Ao monocultivo da cana de açúcar, e à correspondente instalação de importantes engenhos, foram acrescentadas outras explorações agrícolas e a implantação de diversas indústrias de maquinárias, de veículos de transporte, eletrônicas, de papel, etcétera. Tucuman, chamada "o jardim da República" oferece ao viajante lugares de grande beleza e tradição como *Tafi del Valle, Villa Nouguês, Quilmes*.

A REGIÃO DE CUYO

Compreende a área andina e as planícies ao pé da montanha das províncias de La Rioja, San Juan e Mendoza.

Até o norte de Neuquén, no pétreo semi-deserto dos Andes Áridos, domínio do Aconcágua e de outros colossos, os oásis de cultivo surgem como um milagre, acompanhando o curso dos rios que descem da cordilheira entre canais e valas, protegidos por frescas alamedas. Ali, as oliveiras e as videiras mitigam a saudade dos homens nascidos nas ensolaradas terras do Mediterrâneo europeu e dos seus descendentes. Filhos de imigrantes, principalmente italianos e espanhóis, constituem um grupo étnico único no interior das terras da América do Sul; ao contrário do que acontece nas demais zonas andinas do continente, quase não permanecem rastros da população indígena. À primeira atividade, o cultivo da vinha, uniram-se, nos oásis criados pelos rios e multiplicados pela obra do homem, os cultivos da oliveira, de frutas e hortaliças, assim como também a criação de gado. Quando chega a primavera, os cuyanos, como os seus ancestrais europeus, sobem a montanha com os seus animais em busca de pastagens macias, sobretudo para as vacas; as ovelhas e as cabras os acompanham, embora elas, mais sóbrias, sabem comer as partes aproveitáveis dos ramos da vegetação espinhosa do monte... Importante região mineira: cal, mármores (o travertino em San Juan), argilas finas, também metais e urânio, tem no *petróleo* a exploração mais importante, com um peso considerável no quadro energético nacional; *Luján de Cuyo*, em Mendoza, é uma das principais refinarias do país. Falar de indústrias nas províncias cuyanas, é falar, em primeira instância, de *vinhos*; elaborados com alta tecnologia e, ao mesmo tempo, com requintada habilidade de artesãos, legitimamente herdada, fazem concorrência aos melhores do mundo. Outras árvores frutíferas e produtos de horta abastecem uma bem organizada indústria alimentícia. Merece destaque o fato de que o alto índice de produção e consumo da região tem levado a que muitas das grandes indústrias do país instalem aqui filiais de suas fábricas. As altas montanhas são um paraíso para os escaladores de todo o mundo; centros internacionais para a prática de esportes de inverno, com moderníssima infra-estrutura, conseguiram inusitado auge nos últimos anos. Outras paisagens, sem o prazer da neve ou dos oásis, mas não por isso menos imponentes, estendem-se até o leste; tais são a planície arenosa e salitrosa de *la travessia* que havia inspirado páginas de "Facundo" de Sarmiento ou o monumento geológico do *Vale da Lua* em San Juan, talhado pelas águas e pelos ventos, que deixa o visitante atônito com as suas formas estranhas e reservas arqueológicas. Após o primeiro impacto dos cumes nevados que recebe o viajante que chega às terras cuyanas, virá o risonho cantar das valas e canais que atravessam as propriedades agrícolas e possibilitam os cultivos. Destilarias e vinhedos formarão parte do seu itinerário e, em março, assistirá à *Festa da Vindima. Tupungato* que, com *Maipu* e *Luján*, formam o tradicional *"caminho do vinho"* pela quantidade de destilarias ali instaladas, é um dos mais afamados oásis do continente americano; com o seu especial microclima estão dadas todas as condições para a produção da uva e dos melhores vinhos, com um ótimo rendimento. Na *cidade de Mendoza* poderá percorrer os lugares históricos que recordam a passagem do general José de San Martin: o solar em que residiu, documentos da Campanha dos Andes, a Bandeira do seu exército. Poderá também admirar o desenho do Parque que leva o nome do Libertador, obra do arquiteto francês *Carlos Thays*, com uma magnífica exposição de espécies arbóreas trazidas de todas as partes do mundo; o Parque se eleva no *Cerro da Glória* com o Monumento ao Exército dos Andes. Saindo da capital, famosas termas como as de *Cacheuta* e *Villavicêncio* ou as já quase abandonadas, mas não menos conhecidas de *Puente del Inca* e o vilarejo turístico de *Las Cuevas* e não longe dali o *monumento ao Cristo Redentor*. Conhecidos centros de esqui em *"Los Penitentes"*, *"Potrerillos'* e o mais moderno e espetacular conjunto turístico de *"Las Lenhas"* em Los Molles, perto de Malargüe. No terreno da cultura, Mendoza é a sede da *Universidade de Cuyo* da qual dependem várias faculdades, colégios e interessantes museus. *San Rafael*, a segunda cidade em importância, foi um posto de avançada na Conquista do Deserto; a poucos quilômetros de distância, podem-se admirar as obras do *dique del Nihuil. San Juan* participa do pujante desenvolvimento da indústria vinícola com os mesmos recursos naturais e de esforço do homem, comuns a toda a região. A cidade capital, *San Juan*, é o cenário que Sarmiento imortalizou em seus "Recuerdos de Província". A *Festa Nacional do Sol*, no mês de agosto, e o Parque Provincial de Ischigualasto, chamado *"Vale da Lua"*, já mencionado, são outros tantos atrativos da região de Cuyo, "a terra do sol e do bom vinho".

A PATAGÓNIA

Compreende o sul da província de Mendoza, as províncias de Neuquén, Río Negro, Chubut, Santa Cruz e o Terra do Fogo, Antártida e Ilhas do Atlántico Sul.

No mapa, um imenso triângulo invertido, de 750.000 quilômetros quadrados de superfície, cuja base repousa nos limites meridionais de Cuyo e da Pampa, e o seu vértice, no sul, é o finis-terrae do país, antes de chegar aos domínios gelados da Antártida. Sob o nome generalizado de patagônia existem, não obstante, *duas paisagens* muito diferentes: *a dos Andes*, ao oeste e ao sul, e *a dos planaltos* que vão escalonados rumo ao oceano e se submergem nas suas águas.

Os Andes patagônicos

A partir dos 36° de latitude, e em direção ao sul, a *montanha andina* perde o seu aspecto pétreo, árido e de muralha; escoam, então, pelos seus vales, os ventos úmidos do Pacífico, e as suas encostas se vestem de bosques que chegam até às alturas. Esplêndido mostruário de espécies arbóreas, algumas únicas na flora do mundo: o alto e esbelto "pehuén" (= variedade de pinheiro), o corpulento "coihuê", os gigantescos "alerces", o carvalho, o "rauli" (= espécie de faia), o belo "arrayan", as faias... refletem-se, junto com os cumes nevados, nos lagos de transparentes águas entre verdes e turquesas, e reinam sobre as violetas, os morangos silvestres, o lírio e a açucena, fazendo concorrência, em forma vantajosa, aos mais apreciados ambientes alpinos. Assim o vêem os seus povoadores, muitos europeus e os seus descendentes, que habitam sem nostalgia estes lugares, aos quais chegaram com os seus costumes e os seus labores, dedicando o seu amor ao ambiente onde muito facilmente puderam se adaptar. Muitas vezes é o viajante que, atraído pela paisagem, pela caça "mayor", a pesca do salmônidas, a visão colorida das afamadas pistas de esqui, a excelente cozinha, o trato das pessoas, decide voltar, e não foram poucos os que ficaram para residir. Mais ao sul, e até a Terra do Fogo, *as geleiras*. Estes enormes campos de gelo, quando as carícias do Sol se tornam mais cálidas, começam a lançar os seus carambanos (= bolas de neve) ao lago, em meio a um imponente e estrondoso espetáculo; disso falam ao viajante a geleira *Moreno* e a *Upsala* —esta última é considerada a maior do mundo— sobre o lago Argentino; navegar pelas suas águas, entre blocos de gelo, produz um impacto. Assim chegamos até onde terminam as terras...; onde a "lenga", o "nhire" e a canela desafiam os ventos revezando-se com a estepe herbácea, com rios impetuosos, "ventisqueros" (= massa de gelo ou neve no alto dos montes), "turberas" (= jazidas de carvão natural) pantanosas, chave de ouro para esta geografia da Cordilheira. E agora bem, aquele que quiser aproveitá-la plenamente, deverá saber que os *Parques Nacionais, "Lanin", "Nahuel Huápi", "Los Arrayanes", "Los Alerces", "Los Glaciares"*, entre outros, contêm todos os atrativos descritos: nos seus *bosques* com os espaços reservados à caça; nos seus *centros de esqui* como Chapelco, Cerro Catedral e La Hoya; na quantidade enorme de *lagos* com paisagens diferentes –Lácar, Nahuel Huápi, Correntoso, Lolog, etcétera– ideais para a pesca e os esportes náuticos. Não menos atrativa é a possibilidade de percorrer os Parques a cavalo, em diversas embarcações através dos lagos ou das cachoeiras dos rios, ou empreender a aventura em veículos especiais adaptados a terrenos rudes, sem o traçado de caminhos. Entre as cidades, *San Carlos de Bariloche*, às margens do Nahuel Huápi, com total sabor alpino, é o pórtico de entrada a um dos lugares mais belos do mundo. A sua atividade, baseada no turismo de todo o ano, é sede, ao mesmo tempo, do *Instituto Balseiro* no Centro Atômico Bariloche, no qual se formam engenheiros em energia nuclear e licenciados em Física, da *Camerata Bariloche* de prestígio mundial e do *Centro de Capacitación de Guardaparques* (= Centro de Formação de Guarda-bosques), o maior da América do Sul. A *indústria do artesanato do chocolate* atingiu prestígio internacional. *Ushuaia*, capital da Terra do Fogo, a cidade mais ao sul do mundo, ergue-se hoje como um farol de progresso graças à sua vertiginosa industrialização que a levou, além do mais, a essas latitudes, uma população estável e empreendedora. Também o são as obras que se realizam para a produção de *energia elétrica* e o fornecimento de *irrigação* para toda a região: a *represa Ezequiel Ramos Mexia* em *El Chocón* (para a produção de mais de 1 milhão de quilowatts); a *represa Florentino Ameghino* em Chubut; o *dique Futaleufu*, também em Chubut, que fornece energia para a fábrica de alumínio de Puerto Mádryn.

O planalto patagônico

Mais difícil é falar da *Patagônia extra-andina*, a qual chamamos também *"planalto patagônico"*; terras áridas, cortadas por rios estreitos e sem afluentes, de solo arenoso e pedregoso, domínio do *"mará"* (lebre patagônica). Quase sempre está associada à idéia do deserto cruel e inóspito, onde só *os ovinos* são capazes de desafiar com o seu espesso velo (= couro coberto de lã) o vento gelado e de se conformar com a sóbria dieta do seu capim duro ou as *torres do petróleo*, que se erguem em suas costas como presumíveis substitutos da árvore inexistente e se implantam até no domínio das águas do oceano; mesmo assim, salta à vista a imensidão dos recursos petrolíferos que ainda falta ao país explorar. Tudo isso é parte da Patagônia extra-andina, mas também o é o *Alto Valle*, no trajeto superior do rio Negro, onde, numa extensão de mais de 120 quilômetros, distribuem-se populações cujo trabalho e abnegação transformaram esta parte do país em uma horta de árvores frutíferas sem solução de continuidade; e uma glória, desde o começo da primavera até o outono, desde a floração até o amadurecimento, percorrer estas terras irrigadas em que as macieiras, as pereiras e as videiras surgem como um milagre no deserto, sob a sombra protetora dos álamos. Os mesmos frutos foram alcançados pela colonização galesa junto ao rio Chubut, a poucos quilômetros da sua desembocadura no oceano, onde puderam demonstrar que diferença há entre terras estéreis, "terras malditas", e estas que são somente *áridas* à espera da bênção da água e do trabalho do homem. Disso falam, além do mais, as *grandes fazendas patagônicas* assim como *"Maria Behety"* em Rio Grande, com o seu gigantesco galpão de tosquia, nas quais se conseguiram as melhores pastagens para o gado lanígero e cujos velos gozam da mais alta cotação nos mercados mundiais. O seu extenso litoral marítimo, alto e escarpado, tendo apenas as suas enseadas e baías para o refúgio da navegação, oferece o espetáculo extraordinário, único no mundo, das suas *reservas de elefantes-marinhos, lobos-marinhos e de pingüins* ou o aparecimento, a meados de junho, no golfo San José, da *baleia "franca"* (= mansa). Em Puerto Pirâmides, no Golfo Nuevo, é possível observar, do alto de uma escarpa, uma das mais concorridas reservas de lobos-marinhos. As águas transparentes do golfo Nuevo transformaram Puerto Mádryn em "capital subaquática da Argentina"; a larga plataforma submarina patagônica favorece a *pesca de altura*, atraída pela enorme quantidade e variedade de espécies de peixes. A exploração do petróleo, desde Neuquén até a Terra do Fogo, não apenas semeou a superfície de torres e de bombas extratoras, como também deu lugar, com *Comodoro Rivadávia* à cabeça (é o centro da plataforma petrolífera mais extensa do país), ao nascimento de importantes núcleos de população que diversificaram as suas atividades, derivando-as à *exploração agrícola e pecuária* ou à *atividade pesqueira*. Os *gasodutos* que vão de Comodoro Rivadávia a Buenos Aires e La Plata são apenas mostra da enorme riqueza de gás da zona. Também surgiram, no âmbito da Patagônia extra-andina, importantes *parques industriais* tais como o da fábrica de alumínio de Aluar na província de Chubut. Terra de tribos "tehuelches" e "araucanas", oferece testemunhos do passado que vão desde a presença de *Bosques Petrificados* em Chubut e em Santa Cruz e a *"Cueva de las Manos"* no canhadão (= baixada) do rio Pinturas, até os mais recentes da colonização galesa em *Gaiman*.

A SERRA

AS SERRAS PAMPEANAS

Esta região argentina abrange, só em parte, as províncias de Tucuman, Catamarca, La Rioja, San Juan, Santiago del Estero, Córdoba e San Luis.

Entre blocos de serras, vales e planícies elevadas –"campos", as mais altas; "llanos" (= planícies) as que se acham a menor altura– com um clima árido e com a forte uniformidade cultural e espiritual dos seus habitantes, esta região oferece diferentes cenários naturais, alguns dos quais se destacam por suas características inconfundíveis:
Em Tucuman, a *selva serrana* de ambiente subtropical, nas ladeiras leste da serra do Aconquija, chega até os 1400 m de altura com o loureiro, o cedro, a tipa, a nogueira, o ipê, envoltos entre cipós e trepadeiras e enfeitados com orquídeas.

Em Catamarca, o *magnífico anfiteatro natural do Valle*, um dos tantos oásis de cultivo da província, onde se encontra situada a capital, *San Fernando del Valle de Catamarca* (a vista da cidade da Cuesta del Portezuelo é um prazer do qual vale a pena gozar). Ali têm lugar as *festas da Virgem del Valle* e experientes tecelãs expõem os seus trabalhos na *Festa do Poncho*. Na *beira oeste das serras*, o *campo e a quebrada de Talampaya* em La Rioja oferece o espetáculo fantasmagórico de rochas altas e talhadas atingidas pela erosão que também se observa no Vale da Lua, em San Juan. Também em La Rioja nos campos e planícies, junto a uma flora natural de algarrobos, "chanhares", quebrachos, enfeitados com a "flor do ar" que se apoia nos seus troncos, surgem, graças à irrigação, verdadeiras colônias frutihortícolas com videiras, oliveiras e nogueiras. Em La Rioja, *Chilecito* é a segunda cidade da província; está magnificamente situada ao pé do Famatina. Atingiu o seu maior auge no século XIX em virtude da exploração das minas de ouro e prata da região. Atualmente, os seus vinhedos e numerosas destilarias produzem vinhos de reconhecido prestígio. Em muitas localidades de La Rioja são comemoradas, durante o ano, datas muito queridas para os riojanos: a *festa do "Encuentro"* em louvor ao *Menino "Alcalde"* e a *San Nicolás*; a *festa da "Chaya"* no Carnaval; a *peregrinação às Pardecitas*, entre outras.

As *serras de Córdoba* se perdem, ao leste, na Pampa úmida. A sua paisagem e o seu clima fizeram delas uma das paragens mais cobiçadas do país, não só para o turismo, como também, e desde os primeiros tempos da colonização, para a instalação permanente do homem. De *Cruz del Eje* a *Calamuchita*, passando por *Ascochinga, La Falda, La Cumbre, Cosquin, Villa Carlos Paz* ou *Alta Gracia*, a serrania oferece estes afamados centros turísticos com um céu límpido, um sol radiante, um regime de chuvas constante, uma vegetação esplêndida, sobretudo nas suas encostas ao leste. A esses dons naturais é necessário acrescentar uma excelente rede de caminhos e a proliferação de *diques e represas*, antigas e recentes, que aproveitam a água dos seus rios e arroios; menção especial merecem o *dique San Roque*, às margens do qual se ergue a cidade de veraneio de Carlos Paz e a *Represa do Rio Tercero* que preside um conjunto de lagos, diques e represas em plena zona serrana. Uma rica tradição histórica está enraizada nos seus povoados e nas suas cidades com bem conservadas e valiosas testemunhas na arquitetura, na escultura, tal como se mostram nas *fazendas jesuíticas de Alta Gracia e de Santa Catalina em Ascochinga*; desta última foi dito: "é evidente que (...) o autor do templo foi um artista extraordinário, dentro do nosso modesto ambiente arquitetônico do século XVIII". Também na língua e nos costumes dos habitantes, os rastros do passado são notáveis e estão firmemente marcados.

San Luis participa, na sua metade setentrional, da paisagem das Serras Pampeanas. A *cidade de San Luis* é a capital da província, com um acentuado ar hispânico do século XIX, ao qual vão sendo incorporadas as marcas do progresso. Por outra parte, *Villa de Merlo* é considerada a "capital serrana"; reclinada sobre a *serra de Comechingones*, das suas alturas pode-se contemplar o *valle del Conlara*, paisagem povoada de uma rica vegetação natural e de cultivos; os lugares mais agrestes são freqüentados por uma variada fauna autóctone: pássaros, pumas, lagartos e outros.

A PLANÍCIE

O PARQUE CHAQUENHO

Compreende inteiramente as províncias de Formosa e do Chaco e parcialmente as de Córdoba, Santiago del Estero, Tucuman, Salta e Santa Fé.

Chaco, em quêchua, "país das caçadas". Um relevo totalmente plano com uma levíssima inclinação em direção aos rios Paraguai e Uruguai, que o impede de desaguar os seus próprios cursos fluviais. O bosque é denso e emaranhado na região leste; povoado de árvores de quebracho, "virarô", tipa, carvalho, cedro... que se erguem, entre cipós e trepadeiras; no bosque, as clareiras ou "abras" são aproveitadas pela agricultura e há abundância de espaços inundados, alguns salitrosos, outros cobertos de exóticas plantas aquáticas, e freqüentados por patos, garças, flamingos. Também o puma e o gato-montês, furões, zorrilhos, raposas vermelhas, nútrias e jacarés nos rios, entre muitos, perambulam pelo espaço do bosque que, para o oeste, vai-se empobrecendo até transformar-se no monte baixo e espinhoso de "El Impenetrable". Em outras paragens, bosques muito menos espessos de palmeiras e de seibos, acompanham o curso dos rios, abundantes em peixes-reis, surubis e dourados. Nesta geografia o papel do homem é de protagonista. À população indígena se acrescentou a da conquista e, em tempos recentes, uma forte imigração ajudou a impulsionar o progresso desta região.

O trabalho quase excluído, de outrora, dos lenhadores derrubando árvores de quebracho para a obtenção de tanino, e o das plantações de algodão, vê-se hoje substituído por uma grande variedade de atividades que vão, da exploração racional do bosque, uma agricultura diversificada e uma pecuária seletiva, à instalação de indústrias adequadas à produção de matérias primas. A chamada "diagonal fluvial" de Santiago del Estero, entre os rios Dulce e Salado, zona de excelentes terras à lavoura é, desde tempos remotos, lugar ideal para o estabelecimento humano; ali foi fundada a primeira cidade em território argentino (no ano 1550), origem da atual capital da província.

Nesta região do Parque Chaquenho, o viajante se sentirá atraído, numa primeira instância, pelo choque que lhe produzirá a visão da selva, e gozará dela intensamente graças a uma rede de caminhos, que permitem percorrê-la em todas as suas direções e praticar, se assim o desejar, as suas habilidades para a caça "mayor" e a pesca; poderá chegar também a apreciar de perto a vida nas reduções indígenas, assistir em *Quitilipi* à *Feira de Artesanato Chaquenho* e também à *Festa Nacional do Algodão*.

A MESOPOTÂMIA ARGENTINA

Compreende as províncias de Misiones, Entre Rios e Corrientes, e a parte bonaerense do delta do Paraná.

Falamos de quatro províncias, cada qual com uma realidade diferente, enquadradas, quase totalmente, entre os cursos dos rios Paraná e Uruguai.

As serras e a selva

Em Misiones, a vegetação sempre verde da selva, com mais de 2000 espécies conhecidas, ocupa quase todo o território da província, sobe pelas ladeiras das suas serras e faz contraste com as terras vermelhas do solo; uma formação vegetal emaranhada, de grandes árvores (quebrachos, ipês, timbó, pau-rosa, "petiribi", palmeiras, jataí), samambaias arborescentes, cipós, orquídeas, arbustos e, nas partes baixas e alagadas da selva, musgos. Nela habitam o "gato-onça" (= jaguatirica), o gato-montês, o puma, o jaguar, a anta, macacos, quatis, tamanduás, veados, tapires, mais de 400 variedades de pequenas e grandes aves (cardeais, cotovias, papagaios, tucanos) e uma infinidade de borboletas. A *caça* oferece, ao que a pratica por esporte, desde "patinhos" e perdizes, até pecaris, veados, javalis e antas; a de jaguaretês, pumas, tamanduás, macacos, esquilos, está proibida. A pesca por esporte, sobretudo a do dourado, o mais bravo dos peixes, tem o seu centro mais importante na *Reserva Nacional de pesca Caraguaytá*. Desta selva, mais de 50.000 ha correspondem ao *Parque e Reserva Nacional Iguaçu* no qual os caprichos do relevo provocaram um dos mais grandiosos espetáculos naturais da Terra: as *cataratas do Iguaçu*, as quais pela abundância e o estrépito das suas quedas, os arco-íris formados pelos raios do sol que atravessam a finíssima garoa que flutua sobre a água e a selva virgem que lhe serve de cenário, fazem parte do Patrimônio Nacional e também do mundo. Misiones é terra de trabalho e de pioneiros. Já nos séculos XVII e XVIII, os padres missionários da Companhia de Jesus instalaram ali dez *reduções indígenas*, modelo de organização político - econômico - religiosa; dentre elas, uma das mais notáveis foi a de *San Ignácio Mini*, a 25 quilômetros de *Posadas*, capital da província, cujas ruínas, algumas muito bem conservadas, são uma surpresa para o viajante. Na vida econômica de Misiones, aqueles sacrificados *"mensus"* que abriam picadas na selva para a exploração da erva-mate natural, foram sucedidos, graças à imigração, sobretudo de alemães procedentes do Brasil, por florescentes colônias agrícolas como a de El Dorado. A erva-mate, o chá, a mandioca, o tungue, o tabaco, os cítricos são, hoje, objeto de uma agricultura diversa e tecnificada, que vai ganhando terreno à selva e abastece uma importante agroindústria. Da exploração racional de pináceas, com fibras apropriadas para a fabricação de papel, falam as importantes fábricas de Puerto Piraí e Puerto Mineral.

Os esteros

Ao chegar a Corrientes, o primeiro que se nota é o suave acento da língua guarani que predomina no diálogo dos seus povoadores, bilingües em sua totalidade. É algo que rodeia tudo. Em uma espécie de encanto vai-se descobrindo de que forma a tradição e o espírito patriótico vivem naturalmente em cada pessoa, nos seus povoados e cidades, nos caminhos, nas suas igrejas e monumentos. É difícil separá-los do restante. A sua geografia, baixa e coberta de esteros (= banhados; brejos) no centro –esteros do Iberá–, onde reinam o jacaré e a vitória-régia, eleva-se nos contornos e cai em pitorescos barrancos em direção aos dois grandes rios, o Paraná e o Uruguai, que a envolvem. A selva tropical ocupa os lugares altos e desliza em direção ao sul acompanhando o curso dos rios. As plantações de arroz, quase à beira dos esteros, as águas dos rios extraordinariamente coloridas pelas laranjas que arrastam até os pontos de seleção e processamento, os tabacais, a mandioca esperada nos lares para a quase ritual chipa, fazem parte desta terra correntina. A pesca do dourado ou "pirayu" (= pirajuba) reúne, todos os anos, em Paso de la Pátria os amadores que concorrem no torneio internacional. As "rinhas de galos", em Goya, são também motivo de atração e concentração de público, espectador e apostador... É bastante freqüente que a estadia do viajante em Corrientes coincida com algumas das comemorações que, a miúdo, sacodem o ritmo pausado dos seus habitantes: em matéria religiosa, as manifestações de piedade nas festas de Nossa Senhora de Itati e na da Cruz do Milagre; de caráter festivo e com deslumbrante colorido, o Carnaval correntino, cuja fama transpôs os limites da província; em homenagem ao trabalho do homem: a Festa Nacional do Chá em Oberá, a do Tabaco em Goya, a da Laranja em Bella Vista; no mês de agosto, a homenagem ao Libertador José de San Martin em todo Corrientes e especialmente em Yapeyu onde nasceu; também correntinos foram os granadeiros que o acompanharam nas suas campanhas.

Destacamos que a parte sul de Corrientes, a partir da cidade de Mercedes, por suas características especiais deve ser incluída na chamada "sub-região das lombadas ou coxilhas entrerrianas".

As lombadas

Desde o sul de Corrientes e até a zona do delta do Paraná é terra de lombadas (como altura máxima apenas ultrapassam os 100 metros), de clima benigno e de abundante terra preta para os cultivos; bosque entrerriano, que em uma época foi chamado selva de Montiel, perdeu o seu porte, mas se estende em forma de "bosques em galeria" de salgueiros, seibos, "talas" e "nhandubay", seguindo o curso dos rios que banham a pradaria herbácea. Sobre o Uruguai, observam-se formações de palmeiras, entre as quais se destacam o Parque e Reserva Nacional "El Palmar" em Colón, com milhares de palmeiras jataí, algumas com mais de 800 anos de antiguidade (há alguns exemplares petrificados) que crescem entre musgos e samambaias em meio a uma esplêndida e misteriosa paisagem de pradaria, de dunas e arroios. Pelas suas condições de solo e de clima, Entre Rios faz parte da zona agropecuária mais rica do país; as suas abundantes colheitas de cereais e linho o testemunham, a prodigiosa produção de cítricos, a sua numerosa e selecionada pecuária e quase a metade da produção avícola de todo o país. A agroindústria acompanha o ritmo da produção primária. Originariamente, terra de guaranis e de charruas; uniu-se à população hispânica a imigração de outros europeus, especialmente de alemães, desde meados deste século; desta última dão um encantador testemunho as colônias alemãs em Gualeguaychu. Por estas terras passaram os exércitos pátrios e foram campo de batalha nas lutas pela Organização Nacional. Entre as suas cidades, Concepción del Uruguay foi capital da Província até 1883; no seu Colégio Nacional se educaram ilustres figuras do país. A poucos quilômetros de Concepción, pode-se visitar o Palácio San José, imponente edificação, mandada construir para sua residência pelo general Justo José de Urquiza. Paraná, nas barrancas do rio, está unida a Santa Fé pelo túnel subfluvial Hernandárias de mais de 2900 metros de comprimento; situada em um lugar estratégico, em meio a uma esplêndida vegetação natural, a cidade de Paraná foi, em seu tempo, bastião de defesa frente ao inimigo. Entre as obras de infra-estrutura realizadas, destacam-se, além do mais, o conjunto ferroviário Zárate - Brazo Largo de grande importância na comunicação da Mesopotâmia com o resto do país e o de Salto-Grande que compreende, além do mais, uma central hidroelétrica, obra conjunta da Argentina e o Uruguai.

O Delta do Paraná

A pouco mais de 30 quilômetros do centro da cidade de Buenos Aires, uma das mais belas paisagens do país. Antes de desembocar no rio de la Plata, o Paraná se dirige para o leste e se divide em vários braços e, por sua vez, em canais e riachos que tomam diferentes nomes e contêm numerosas ilhas de espessa vegetação. Tudo contribui para dar à paisagem ritmo e cor: o verdor das árvores, o

vermelho da flor do seibo, os laranjais, a água que, em alguns lugares, é de um verde cristalino, as velas dos iates, o colorido dos produtos transportados; a contínua revoada dos pássaros, o doce balanço dos salgueiros que banham os seus ramos nas orlas, o bulício das lanchas com escolares, o soar de apitos e sirenes das lanchas de passageiros, a esteira espumosa de todas as embarcações. Nas ilhas, diversas e variadas construções: cáis e pitorescas moradias que, à maneira das palafitas, submergem os seus pilotis na água; entre elas, as das hospedarias e "recreios". Como centro de diversão, o Delta oferece, além do simples prazer de percorrer as suas águas em embarcações particulares ou alugadas, toda a gama de esportes náuticos apoiados por instituções de prestígio: remo, esqui, motonáutica, iatismo; surf; também a pesca e a caça de campo. O Delta é, além do mais, o âmbito de uma população estável; dos primitivos habitantes, os guaranis, só permanecem vestígios nos nomes dos lugares; não existem núcleos urbanos, salvo alguns formados por causa da construção do conjunto Zárate - Brazo Largo. O trabalho é duro, as terras são inundáveis e o homem tem que construir obras de defesa que lhe permitam obter do solo árvores frutíferas e hortaliças; conseguiu também o crescimento de "fórmio" e de vime. Mas, no que mais concentra o seu esforço é nas plantações de pináceas, árvores ricas em celulose para a fabricação de papel. O seu grande aliado é o clima.

LA PAMPA

Compreende a Pampa úmida nas três quartas partes da extensão total da região e a Pampa seca ou Estepe; estende-se pela quase totalidade das províncias de Buenos Aires e de La Pampa e em parte das províncias de San Luis, Córdoba e Santa Fé.

Muitos, ao falarem da Pampa, é como se se referissem à Argentina toda; custa corrigir este erro, sobretudo se o viajante entra no país por Buenos Aires. Quem o convence de que estes 700.000 quilômetros quadrados de "pampa" –quase vinte por cento do território nacional– não são todo o país? O seu solo plano, ligeiramente ondulado ao norte e nordeste, algo baixo ao centro, transforma-se em planície elevada, apenas em frente às serranias cordobesas. Só é interrompido pelas serras de Tandília e de Ventania. Às barrancas sobre o Paraná e o Rio de la Plata, segue uma costa baixa, com dunas e praias, com alguns trechos rochosos e escarpados. O clima temperado e úmido, na quase totalidade da região, favorece o desenvolvimento da pradaria de capim macio. Pampa significa "terra sem árvores". Só há bosques na periferia da região: desprendimentos da selva, junto ao rio Paraná e vegetação de monte, de capim duro e árvores isoladas, ao sudoeste, na Estepe. Em geral, uma paisagem natural monótona, sem as estridências das demais regiões. Mas o homem, na Pampa, modificou o cenário: milhões de árvores trazidas de todo o mundo –pinheiros, álamos, "paraísos", eucaliptos, acácias, palmeiras– fazem pensar em verdadeiras formações florestais autóctones; a terra trabalhada com capricho dá ao conjunto cores diferentes e mutáveis, de acordo com a época do ano e a variedade dos cultivos: do linho até o girassol, os cereais e as forragens ou as árvores frutíferas florescidas; tudo, em espaços imensos que se perdem no horizonte. Completam esta paisagem "natural" as milhares de cabeças de gado que povoam os alfafais, as altas torres dos silos, as belas casas das fazendas agropecuárias –um dos mais belos exemplos é a casa de "La Biznaga" em Roque Pérez– e também os modestos ranchos à sombra das árvores. O homem de campo da Pampa, o nosso "gaucho", hábil cavaleiro, herói anônimo na gestação da Pátria, conserva costumes e tradições que fazem dele um símbolo da região; é fiel à sua vestimenta, de imprescindível poncho e "chambergo" (= chapéu típico), ao seu facão, ao seu apero, ao chimarrão a toda hora e ao prêmio de "um bom churrasco"... Esta paisagem bucólica hoje se vê interrompida pela proliferação de espaços dedicados à indústria, já que 85% da produção do país tem a sua origem nos centros fabris da Pampa. Estes são os que, principalmente, determinam a desigual distribuição da população; muito espaçada nas cidades e povoados rurais do interior; comprimida nas cidades periféricas como Córdoba, Rosário, Buenos Aires, Bahia Blanca, etcétera e as suas respectivas periferias, sedes de atividade industrial e, com exceção de Córdoba, de ativos portos.

Na Pampa, devido às suas dimensões, é difícil abranger tudo em pouco tempo. O viajante pode gozar do espetáculo dos seus campos, apenas afastando-se uns quilômetros dos centros urbanos, e desfrutar neles as tradições e costumes do meio rural. Se formos à História, cada lugar da Pampa terá algo que contar. A fundação das suas cidades –Santa Fé, Córdoba, Buenos Aires–, a ameaça do ataque inesperado dos índios, a conquista do deserto, as lutas internas para afiançar a Nação, fizeram de cada cidade, de cada povoado, um protagonista. Alguns mostram, com orgulho, o haver sido em sua origem simples fortins de avançada do deserto; outros, como a cidade de Córdoba, conservam quase em plenitude, o testemunho do passado. Por ela é que se chega à região serrana; preside, além do mais, a abertura à planície e, em especial, à Pampa. Pela sua estratégica localização geográfica e os seus recursos naturais de fácil acesso foi, desde a sua fundação, no ano 1573, um polo de atração para o povoamento. Ativo centro de tradição cultural e religiosa, tem as suas testemunhas na Catedral, jóia da arquitetura hispano-americana, no templo e Colégio da Companhia de Jesus, no edifício da Universidade, no Cabildo, todos do século XVII, e nos conventos e casarões senhoriais de acentuado cunho hispânico que falam de um passado rico em todas as suas manifestações. Hoje, Córdoba, sede da *Universidade de Córdoba* e de muitas outras instituições culturais, é um posto de vanguarda na economia de *uma extensa comarca agropecuária*, a segunda cidade do país pelo número dos seus habitantes e *um dos seus principais núcleos industriais*; o processo de industrialização transformou Córdoba, nos últimos trinta anos, em uma grande cidade, não só pelo número de habitantes que, em curto prazo, foi duplicado, senão, além disso, pela grande quantidade e variedade de atividades a que isso deu origem. Na Pampa, são polos de atração de uma densa população temporária as cidades balneárias da costa atlântica, sendo *Mar del Plata* o maior centro turístico de veraneio do país. Situada em uma comarca privilegiada, (fala-se de um excelente "microclima") nela brilham por igual o oceano que banha as suas amplas e numerosas praias, o gosto especial da sua edificação, as flores que embelezam os seus jardins e o seu porte de grande cidade. Ponto de atração para entendidos e apreciadores é o "Haras Olho de Água" em *El Dorado*, junto à laguna La Brava; tem a bem merecida fama de haver produzido, por seleção, cavalos de corrida puro-sangue, triunfantes nas mais importantes competições.

Rosário, a terceira cidade do país, pelo número dos seus habitantes, exibe com orgulho o seu porto, ao qual chega a produção do norte e do centro da República para atingir o caminho do Plata e do Oceano. A especial peculiaridade dos rosarinos, em sua maior parte de origem italiana, fizeram de Rosário um centro pujante de trabalho e de progresso, o que salta à vista nos seus parques e avenidas e na sua moderna edificação. O Parque Belgrano, onde se ergue o Monumento à insígnia pátria e ao seu criador —obra de vários escultores argentinos–, circunda o lugar onde foi içada pela primeira vez; o parque Independência, por sua parte, é um dos mais belos e extensos do país. Em *Santa Fé*, além da sua capital fundada por Juan de Garay, até mesmo antes que Buenos Aires, não podemos deixar de citar *Esperanza, a primeira colônia agrícola argentina*, fundada em 1856 por Aarón Castellanos.

O fato de finalizar este breve reconhecimento do que a Argentina é e do que a Argentina oferece como país, com a região da Pampa, não é casual; coincide com a feliz idéia de Aldo Sessa de encerrar a série de fotografias que compõem a obra, com três magníficas tomas feitas na Fazenda "Don Manuel", de Rancul, precisamente na província de La Pampa. Nelas, a luz da fogueira rodeada de tropeiros, chimarrão e violão entre as mãos, substitui a luz do sol.

ARGENTINA. Uma aventura fotográfica.

Epígrafes

Cidade de BUENOS AIRES. Capital Federal.

Pág. 171. "Villa Victoria", residência da escritora Victoria Ocampo. *Mar del Plata*.
Pág. 172. Cenas na Praia Brístol: *Mar del Plata*.
Pág. 173. Também em *Mar del Plata*: a) e b) Praia Brístol. c) Praia Grande. d) Golf Club.
Págs. 174 e 175. Cenas do porto de *Mar del Plata*.
Pág. 176. Na *paragem "El Dorado"*, laguna *La Brava*: a) Casa do haras "Ojo de água". b) Um aspecto típico da Pampa argentina.
Pág. 177. Égua puro-sangue com potrinho no mesmo haras.

Província de JUJUY

Pág. 178. No Noroeste: a) e b) Cerros e álamos em *Tumbaya*. c) Cemitério de *Purmamarca* (séc. XVIII).d) Cerro Cores em *Purmamarca*. (Seu nome se deve ao fato de que através do tempo o desgaste da montanha deixou a descoberto os diversos estratos feitos pelos movimentos do solo).
Pág. 179. Rua e artesanatos. *Purmamarca*.
Pág. 180. As igrejas em Jujuy: a) Campanário e claustro da igreja de São Francisco em *San Salvador de Jujuy*, capital da província. b) Sinos da mesma igreja. c) Interior da igreja de São Francisco em *Tilcara*. d) Fachada da mesma igreja.
Pág. 181. Outras igrejas em Jujuy: a) Igreja da Santa Cruz e São Francisco de Paula (séc. XVII) em *Uquia*. b) Altar da mesma igreja. c) Nave central da igreja de Huacalera (séc. XVII), em *Tilcara*. d) Fachada da igreja de Huacalera.
Pág. 182. "Pucará" de *Tilcara* (= forte indígena). Vistas tomadas do interior.
Pág. 183. O Pucará de *Tilcara*.
Pág. 184. Vista da cidade de *Humahuaca* (séc. XVI) tomada do planalto.
Pág. 185. Porta de moradia (séc. XIX) em *Humahuaca*.
Págs. 186-187. Rua do povoado com construções do séc. XIX dotadas de gárgulas para o escoamento dos telhados. *Humahuaca*.

Província de ENTRE RÍOS

Pág. 188. Flores silvestres. *Gualeguaychu*.
Pág. 189. Em Gualeguaychu: a, b, c. Diferentes aspectos da Colônia Alemã. d) Vista do rio Uruguai à altura do *Parque e Reserva Nacional "El Palmar", Colón*.
Pág. 190. Palácio San José (séc. XIX) em *Concepción del Uruguay*. Foi residência do general Justo José de Urquiza; atualmente Museu Histórico Nacional: a) Jarrão de mármore nos jardins. b) Vista dos jardins tomada da torre. c) Vista dos jardins, tomada da varanda. d) Capela. e) Ornamentação de estilo de Pompéia, realizada por Juan Manuel Blanes. f) Arcada do pátio principal.
Pág. 191. Fachada do Palácio San José (séc. XIX).
Pág. 192. Aspectos do Palácio San José: a) Monograma com as iniciais de Urquiza, realizado em ouro. b) Sino. c) Telhados das varandas. d) Varandas dando aos jardins.
Pág. 193. Salão do Palácio San José.
Pág. 194. Fazenda Santa Cândida; anteriormente, saladeiro que havia pertencido a Justo José de Urquiza. *Concepción del Uruguay*.
Pág. 195. Parque e Reserva Nacional "El Palmar". *Colón*.

Província de SANTIAGO DEL ESTERO

Pág. 196. O amanhecer em *Colônia Tinco*.
Pág. 197. No interior: a) Carroça com mulas em *Mansupa*. b), c) e d). Casa e currais em *Huaico Hondo*.

Província de CORRIENTES

Pág. 198. O rio Paraná à altura de *Goya*.
Pág. 199. Também em Corrientes: a) Igreja Catedral de *Goya*. b) Navegando pelo rio Paraná.
Pág. 200. Diversos aspectos da pesca do dourado em *Goya*.
Pág. 201. Pescadores em lancha.
Pág. 202. Outros aspectos de *Corrientes*: a) Vista aérea dos esteros (= terras alagadas) do Iberá. b) Ponte General Belgrano que une *Corrientes* a *Resistência*.
Pág. 203. Rinha de galos em *Goya*.

Província de LA PAMPA

Págs. 204-205. Prataria rural argentina da segunda metade do século XIX: "Mates" (= cuias), bombilhas, facões, facas, esporas e "chambao" (= caneca). (Coleção do Museu Fernández Blanco).
Pág. 206. Arrebanhando o gado na fazenda e cabana "Don Manuel" em *Rancul*.
Pág. 207. Gado vacum Hereford (os famosos "Pampas").
Pág. 208. Trabalhos do campo em "Don Manuel": a) A marcação a ferro. b) Laçando. c) Domando. d) Arrebanhando.
Pág. 209. Arrebanhando o gado.
Pág. 210. Partes do apero (= arreios) "criollo" (= filho de imigrante nascido na Argentina): a), b) Cabeção. c) Estribo de prata e ouro com monograma. d) Cabeção com cabresto. e, f) Cabeção de tiras de couro tecido (detalhes).
Pág. 211. Partes da vestimenta e adornos do "paisano" (= homem do interior): a) Cinto de prata. b) Cinto com moedas da prata e facão. c) Botas de potro. d) Bastos com monograma de prata.
Pág. 212. Domação com o cavalo atado ao poste. Estância "Don Manuel" em *Rancul*.
Pág. 213. Descanso dos tropeiros e fogueira ao pôr do sol.
Pág. 214. Cenas típicas: a) O chimarrão e a "guitarreada" (= seresta). b) O "assado" (= churrasco típico). Fazenda "Don Manuel" em *Rancul*.
Pág. 215. A luz da fogueira substitui a luz do sol...

ARGENTINIEN, ein fotografisches Abenteuer   ALEMAN

Übersetzung von Norman Eduardo Pickholz

Dieses Abenteuer beginnt im Studio von Aldo Sessa mit seinem Entschluß, den Obelisken zu fotografieren oder nach Ushuaia zu fahren. Mit wenig mehr als seinem Fotoapparat macht er sich auf die Reise. Kurz darauf -je nach Entfernung kann es auch mal länger dauern- kommt er mit seinen Filmen und seinen wertvollen Aufzeichnungen zurück. Dann wartet Sessa ungeduldig auf die Ergebnisse aus dem Fotolabor und bereits beim Sichten der Abzüge ruft er aus: "Glück gehabt!"

Glück? Es handelt sich doch eher um künstlerische Qualität und professionellen Anspruch. Die auserwählten Szenen: Ein zufälliges Spiel der Lichtstrahlen unter den Bäumen (85*), der Augenblick, in dem Pferde von einem Wassertümpel trinken (162), wie zum Start aufgereihte Autos in Palermo (16 b), eine Feuerstelle, die zum Genuß des Matetees auffordert (212-215). Ja, die vertraute Welt sieht doch anders aus, wenn ein Künstlerblick sie auf einer Leinwand oder in einem Film festhält! Wie ein Professor der Kunstgeschichte zu sagen pflegte: "Vom Blütennektar kann jedes Insekt trinken, wie anders ist das Ergebnis aber, nippt die Biene an der Blüte!"

Dieses fotografische Abenteuer, das Aldo Sessa mit den Lesern dieser Zeilen teilt, spielt sich in der unendlichen Weite Argentiniens ab. Das Land bietet alle Landschaften, alle Klimata: Vom tropischen Wendekreis im Norden (57, 138, 147) bis zu eiskalten Breiten im Süden (27); vom höchsten Gebirge der Erde im Westen, den Anden (161), über fruchtbare Ebenen voller Viehherden (206-209) und dürre Hochebenen (38-39) bis hin zum Ozean, dessen Wellen gegen die östlichen Küsten branden (114-115). Für jene, die sich besonders für die Vergangenheit interessieren, hat Sessas Blick auch im ganzen Land die Spuren der Zeit festgehalten: von Wind und Wasser geformte Denkmäler aus Stein (149), Felsbilder (136), indianische Bauten (183), Zeugnisse der hispanoamerikanischen Kunst, von ihren Anfängen an (181 a b) bis zum erlesenen Höhepunkt (101). Auch die Tätigkeiten der Menschen hielt Sessa mit seiner Kamera fest, z. B. Landwirtschaft (41, 156, 208), Erdölgewinnung (124 g), Forstwirtschaft (204) oder auch Sport, wie z. B. Angeln (200) und Skilaufen (165).

Auf alle Formen der fotografischen Darstellung von Aldo Sessa einzugehen, dafür reicht der vorgegebene Rahmen nicht aus. Zudem ist es auch besser, wenn jeder Leser die Bilder auf seine Art genießt, zumal viele Betrachter ihre eigenen Erinnerungen und Sehnsüchte einbringen.

Dieses Buch ist weder ein Reiseführer noch eine landeskundliche Abhandlung, obwohl beide Genres in Sessas Händen zu Kunstwerken werden könnten. Vor allem soll dieses Buch dem Leser eine Augenweide werden. Die Auswahl der Bilder schafft eine reiche Sammlung an schöpferischen Augenblicken, die von ausgefallenen Sujets (16 c, 148a) bis zur Darstellung der Gegensätze dieses Landes reichen, von der Plaza San Martín in Buenos Aires (17) bis zu den abgelegensten Inseln im südlichsten Punkt des Erdatlas, vom Denkmal an die argentinische Fahne in Rosario (54-55) bis zu einem Flaschenbaum, dem sogenannten "Palo borracho", im Urwald von Formosa (56). Die Echtheit der Aufnahmen sollte betont werden, denn die Fotografien wurden keinerlei Retuschierung im Fotolabor unterzogen.

Das vorliegende Werk zeigt Argentinien aus der persönlichen Perspektive von Aldo Sessa: "Ich stehe auf dem Berg und sehe...". Es ist mit Freiheit und ohne Zwänge entstanden. Manchmal verharrt Sessa bei einem Thema, als wäre er darin verliebt (65/67, 116, 117, 148, 180-181, 210-211). Dann pflegt er wieder seine eigenen Vorlieben: So scheint ihm die Gegend um Uquía besser gefallen zu haben als eine reich geschmückte Kirche. Oder er verfällt in Wiederholungen, die schließlich doch zu einem geglückten Ergebnis führen.

Sessa pflegt Gegenden aufzusuchen, die gewöhnlich nicht von Touristen besucht werden. So führt ihn sein Weg zur Estanzia Santa Catalina (100/107), die von Architekt Mario J. Buschiazzo beschrieben wurden: "Nicht weit von Jesús María, gegen Westen, wo die Berge beginnen, gründeten die Jesuiten Anfang 1622 ihre besten und schönsten Estanzias". Dann verharrt sein Blick auf den Straßen Humahuacas bei den Häusern mit geschmückten Traufen (186-187), von denen das Regenwasser abtropfen kann, oder wieder auf den Eselskarren in Mansupa (197 a). Wir sind uns sicher, daß viele dieser Ortschaften, die man schon beim Lesen liebgewinnt, dank Sessas Fotografien in künftigen Reiseführern aufgenommen werden. Wir haben es nämlich mit einem Experten zu tun, der uns das Sehen lehrt.

In diesem Werk fehlt keine der argentinischen Provinzen. Manch einer würde sich wohl wünschen, mehr Bilder von einer oder der anderen Provinz zu sehen. Man muß jedoch verstehen, daß dieses Buch eine musikalische Gesamtvision von Argentinien vermittelt, einem riesigen Land, das so schwer zu erfassen, zu sehen und zu verstehen ist. Da sind die kleinen Akkorde nicht weniger wichtig...

Wie auf jedem Abenteuer, so sind auch hier die Landkarten auf den letzten Seiten unentbehrlich, denn sie dienen als Orientierungshilfe, damit wir uns nicht verlaufen (216/220). Diese Atlanten erklären, "wo Argentinien auf dem Weltatlas zu finden ist", sie bestimmen die geografische Lage der Städte in der südlichen Halbkugel in Beziehung zu den wichtigsten Städten der nördlichen Hemisphäre. Darüberhinaus erfahren wir, in Kilometern ausgedrückt, wie groß die Entfernungen in Argentinien sind, und schließlich auch, wie die Grenzen der Provinzen verlaufen. Ein Verzeichnis der Ortsnamen hilft dem Leser herauszufinden, wo die mit Bildern oder Worten beschriebenen Ortschaften liegen.

Dem Argentinier, der sein Land mit diesem Buch noch inniger liebt, und dem Fremden, der es lieben lernt, bei-

den wünschen wir viel Erfolg auf diesem geografischen Abenteuer!

*Seitenangabe der entsprechenden Fotografie.

Die Anordnung der Fotos, die Aldo Sessa für dieses Buch gewählt hat, entspricht seinem Wunsch, die Kontraste in diesem Land aufzuzeigen. Die künstlerische Betonung der Gegensätze durch Rythmus und Farbe soll die Aufmerksamkeit des Lesers fesseln. Darüberhinaus bietet der folgende Text einen Überblick über die abgebildeten Sitten und Ortschaften sowie Informationen über die Regionen, die dieses Land bilden.

ARGENTINIEN. Das Land.

Mit seiner harmonischen geographischen Gliederung, die leicht eine Verbindung zwischen den gegensätzlichsten und entferntesten Punkten seiner geographischen Größe erlaubt; mit seiner glücklichen klimatischen Gliederung, seinem Reichtum an fruchtbarer Erde, mit genügend Wasser zur Energiegewinnung und zur Bewässerung, mit seinem an Kohlenwasserstoff reichen Boden; mit einer Bevölkerung von gutem kulturellen Niveau, ohne rassische und religiöse Probleme, mit seiner anerkannten technischen und professionellen Kapazität; allen Fortschritt, den Zivilisation und Kultur anbieten, ausnützend, ist Argentinien ein Land, in dem Menschen aus allen Teilen der Welt eine Heimat finden können.

BUENOS AIRES. Hauptstadt der Republik.

Jeder Bewohner von Buenos Aires, ob Mann oder Frau, fühlt sich in Buenos Aires zuhause, doch fällt es ihm schwer, darüber zu sprechen: Buenos Aires ist eben so... es hat keine großen Fehler und keine speziellen Qualitäten. Man liebt es, und das ist alles. Buenos Aires, das sind seine Straßen und Alleen, gut oder weniger gut gepflastert, seine bescheidenen und weniger bescheidenen sowie seine reichen Stadtviertel; elegante Gebäude im Stil von Paris oder London in manchen Vierteln; andere "bepflanzt" mit Türmen und Wolkenkratzern; ganze Viertel von exquisitem Geschmack; und man muß zugeben, manchmal bunt durcheinander in verschiedenen Stilen. Sein höllischer Verkehr hat in den "Colectivos" seine frechen Teufel...

Buenos Aires ist vielfältig. Fangen wir bei den Bäumen an. Merkwürdig genug, da es sich um eine dichtbevölkerte Großstadt handelt. "Die Bäume von Buenos Aires!" Überall Bäume, nicht nur in den Parkanlagen, entworfen von Landschaftsarchitekten vom Format eines Carlos Thays, Schöpfer des Botanischen Gartens. Dort, an dieser Promenade, trifft man auf mehr als 5000 Arten von Pflanzen aller Klimate, die nach wissenschaftlichen Kriterien angeordnet sind. Die Atmosphäre entsteht im Zusammenspiel mit Brücken, Statuen und Gebäuden von hoher künstlerischer Qualität. In Belgrano und Palermo sind die Straßen grüne Tunnel aus vielen Bäumen mit immergrünen Blättern und anderen, die wie die "Tipa" und der "Jacarandá" den Asphalt mit ihren gelben und lila Blüten bedecken. Häufig versucht eine Ampel vergeblich, zwischen einem Dickicht von Zweigen, Blättern und Blüten ihre Zeichen an uns auszusenden... Im Park 3 de Febrero hingegen stellt der "Rosedal"-Garten seine Pracht zur Schau, der "Patio Andaluz" seine emaillierten Majolika, und am Ufer des Sees wiegt sich der "Aguaribay". In Recoleta lauscht ein riesiger, alles umschließender Gummibaum aufmerksam den Gesprächen über Liebe, Politik und Wirtschaft, die von den Tischen der Kneipen zu ihm dringen. Ganz in der Nähe breitet faul ein "Ombú" seine Zweige aus, betäubt vom Duft einer üppigen Magnolie. Etwas weiter stehen als Boten des Frühlings Linden und Maulbeerbäume. Eine Vielzahl von "Jacarandás" schmückt bereits alles mit ihren violetten Blüten, noch bevor die ersten grünen Blätter erscheinen. Um in nichts nachzustehen, kleiden sich die "Palos-Borrachos" zur Verabschiedung des Sommers ganz in Rosa. Alle diese Arten, darüber hinaus auch aufrechte Palmen, Eichen, Tannen und Zedern, beleben die Plätze von Buenos Aires - vielleicht die Plätze mit dem größten Baumbestand in aller Welt.

Buenos Aires, das sind 50 Stadtviertel auf einer Fläche von 200 Quadratkilometern. Die Avenida General Paz, der Riachuelo und der Río de la Plata bilden die Grenzen. Doch der Einfluß der Hauptstadt erstreckt sich auch auf die Vororte, die der Gerichtsbarkeit der Provinz Buenos Aires unterstehen. Zusammen bilden sie Groß-Buenos Aires. Einige dieser Vororte - u.a. Vicente López, San Isidro, Tigre, die Deltazone des Paraná, Bella Vista, Hurlingham, Adrogué - mit ihren Clubs, Wochenendhäusern, Wohngegenden, Gärten und Promenaden sind eine Erweiterung, vor allem aber Erholungsorte für die Menschen der Großstadt. Gegründet wurde Buenos Aires 1580 von Juan de Garay. (Die sogenannte "erste Gründung" war nur eine einfache Niederlassung). Es erstreckt sich am Ufer des Río de la Plata, der breit wie ein Meer ist, doch Süßwasser mit sich führt und die "Farbe eines Löwen" hat. Den Porteños, den Einwohnern von Buenos Aires, würde es gefallen, ihn näher an der Stadt zu haben, um ihn auch wirklich genießen zu können, ohne durch Hafenmauern, ein Elektrizitätswerk, Kräne, die Eisenbahnlinie und ähnliches daran gehindert zu werden. Ihrem Wunsch wird teilweise von der Avenida Costanera, der Küstenpromenade, Befriedigung gewährt, ebenso von den oberen Stockwerken der schönen Hochhäuser, die sich an den Avenidas Colón, Alem und Libertador aneinanderreihen.

Buenos Aires ist wie ein Schachbrett angelegt: Seine Straßen schneiden sich im rechten Winkel, und nur wenige Diagonalen durchbrechen dieses Schema. Eine lange Allee, Rivadavia, zieht sich von Ost nach West und teilt die Stadt in zwei fast symmetrische Teile. Die mehr als 100 Meter breite Avenida 9 de Julio erstreckt sich von Norden nach Süden. In ihrem Zentrum erhebt sich stolz der Obelisk, modernes Wahrzeichen der Stadt und Werk des Architekten Raúl Prebisch. Dort kreuzen auch die Avenidas Corrientes und Diagonal Norte. Wenn wir von Avenidas sprechen, dürfen wir nicht vergessen, die sehr spanische und auch sehr argentinische Avenida de Mayo zu erwähnen, die sich vom Nationalkongreß bis zur Casa Rosada, dem Regierungsgebäude, erstreckt. Es scheint uns unvermeidlich, einige monumentale Bauwerke von Buenos Aires aufzuzählen: das Hauptpostamt, der Justizpalast, die Zentralen der nationalen und ausländischen Banken, die neuen Blocks der "Catalinas", neben den beliebten Bauwerken ihrer inzwischen hundertjährigen Kirchen, wie "San Ignacio", "San Francisco", "Santo Domingo", "Nuestra Señora de la Merced". Ein eigenes Kapitel verdienen die Skulpturen, die Plätze, Gärten und Avenidas schmücken und den Vorübergehenden durch ihre Schönheit, Eleganz und die bekannten Namen, die für ihre Qualität bürgen, überraschen. Zeugen des Gesagten sind: der unvergleichliche Charakter des "Monumento de los Españoles" von Augustín Querol; das Denkmal des Generals Carlos María de Alvear von Antoine Bourdelle, der auch "El Centauro Herido" (Der verletzte Zentaur) und "Heracles" geschaffen hat; "La Cautiva" (Die Gefangene) von Lucio Correa Morales; "Las Nereidas" (Die Nereiden) von Lola Mora; "Canto al trabajo" (Hymne an die Arbeit) von Rogelio Yrurtia; "El arquero" (Der Bogenschütze) von Alberto Lagos; das Denkmal für Nicolás Avellaneda von José Fioravanti und "Sarmiento" von Auguste Rodin. Andererseits hat die Einrichtung von Museen, Botschaften und anderen Institutionen, die zu Anfang des Jahrhunderts in Häusern, Palästen und Privatresidenzen untergebracht wurden, diese Gebäude vor der durch den Fortschritt bedingten Zerstörung bewahrt. Wunderbar erhalten, erfreut uns der Palast "Errázuriz", in dem sich das Museum für Kunst und Dekoration befindet, dessen Architekt, René Sergent, sich an den Fassaden von Gabriel, die die Place Vendome von Paris umgeben, inspirierte. Desweiteren sind zu nennen: der Palast des Außenministeriums; die Paläste, in denen sich die Botschaften von Italien, den Vereinigten Staaten von Amerika, Brasilien - die letzten beiden von Sergent - und Frankreich befinden; die "Nunciatura Apostólica", der "Círculo Militar" und das Museum "Fernández Blanco" im amerikanischen Barock; das Haus des Schriftstellers Enrique Larreta in reinem spanischen Stil, heute ein Museum mit seinem Namen. Weiterhin möchten wir noch die architektonische Schönheit der Gebäude hervorheben, die den Platz "Carlos Pellegrini" im Stadtviertel Retiro umgeben.

Obwohl Buenos Aires eine relativ kurze Geschichte hat, ist es trotzdem reich an Erinnerungen. Zeugen aus Stein sind im Laufe der Zeit verschwunden; jedoch in einem Winkel unseres Gedächtnisses und anhand von erhaltenen Briefen und Schriftstücken läßt sich mit Leichtigkeit und ziemlicher Genauigkeit die Vergangenheit rekonstruieren. Die Plaza de Mayo, früher Plaza de Victoria, ist der Eckpfeiler der vergangenen Zeit; der "Cabildo" (Rathaus) ist der älteste Zeuge; in der städtischen Kathedrale, im neoklassischen Stil, befindet sich das Mausoleum, in dem die sterblichen Reste des Generals José de San Martín ruhen. Südlich von diesem Platz befinden sich die Stadtviertel Monserrat und San Telmo, wo man in den alten ein- bis zweistöckigen Häusern, manche mit Gittern, manche mit großen Innenhöfen mit Bogengängen oder einer Zisterne - ein Musterbeispiel für den Stil dieser Gebäude ist die "Santa Casa de Ejercicios Espirituales" -, einst die Stimmen jener Männer und Frauen hören konnte, deren Namen heute die Seiten unserer Geschichtsbücher füllen. Gleich in der Nähe befindet sich der Park Lezama, ein weiteres Beispiel einer Verschmelzung von Kunst und Natur. In Recoleta, das heute zu den meist besuchten und elegantesten Promenaden gehört, erhebt sich die "Basílica Menor de Nuestra Señora del Pilar" aus dem 18. Jahrhundert. Hier befindet sich auch der Nordfriedhof aus dem Jahre 1822, gewöhnlich "Recoleta" genannt. Sein Stil erinnert an die Nekropolis von Genua oder Mailand. Einige der Grüfte und Mausoleen wurden von berühmten Künstlern, wie José Fioravanti, Pedro Zonza Briano - Schöpfer von "El Redentor" (Der Erlöser) -, Alfred Bigatti usw., geschaffen. Die Stadtviertel Belgrano, Balvanera, San Nicolás und Recoleta, um nur einige zu nennen, mit ihren Plätzen, Parkanlagen, Wohnhäusern und Kirchen stellen weitere Kapitel dieser jungen Geschichte dar.

Buenos Aires, das sind seine Menschen: Zusammen mit ihren Vororten hat die Hauptstadt 10 Millionen Einwohner. Gehen wir die Florida, eine der meist besuchten Straßen von Buenos Aires, entlang, drängt sich uns der Eindruck eines vorbeiziehenden Babels von Rassen und Nationalitäten auf. Die Vielfalt von Sprachen und Akzenten, die wir aus den Gesprächen heraushören, zieht unsere Aufmerksamkeit auf sich. Alle diese Menschen leben in den verschiedenen Vierteln von Buenos Aires miteinander, ohne daß Herkunft oder Religion Probleme schaffen würden. Daraus ergeben sich die Eigenschaften der Einwohner von Buenos Aires: sie sind herzlich, offen, spontan und warmherzig.

In Buenos Aires befinden sich die bedeutendste staatliche Universität des Landes, verschiedene private Universitäten, Hochschulen, traditionelle Mittelschulen, Akademien und Forschungszentren. Häufig wird Buenos Aires als Ort für nationale und internationale Symposien und Kongresse aus allen Bereichen der Wissenschaft gewählt. Das Nationalmuseum der Schönen Künste, das sich an der Avenida del Libertador befindet, besitzt eine große Anzahl von Gemälden und Skulpturen aus allen Jahrhunderten und künstlerischen Schulen. Öffentliche und private Bibliotheken sowie verschieden Archive stehen sowohl Studenten als auch Laien zur Verfügung. Das hervorragend organisierte Planetarium Galileo Galilei im Park von Palermo bietet Studenten wertvolle Information über die neuesten Errungenschaften in Astronomie und Astronautik. Verlassen wir das Planetarium in Richtung Plaza Italia, kommen wir durch die herrliche Avenida Sarmiento. Auf einer Seite der Straße haben wir den Tiergarten, wo Klein und Groß begeistert die exotischen Tiere und

die nicht weniger exotischen Gebäude bewundert. Auf der anderen Seite kommen wir zunächst am Park 3 de Febrero vorbei und dann erreichen wir die Sociedad Rural Argentina, die in Palermo ein großes Gelände besitzt, wo jedes Jahr während der Monate Juli und August eine nationale Vieh- und Industriemesse stattfindet. Das zahlreiche Publikum, das Jahr für Jahr dieses "ländliche Fest in der Stadt" besucht, kann außergewöhnliche Exemplare von Tieren bewundern, aber auch die Anstrengungen, die Argentinien unternimmt, um den einmal zuerkannten Titel der besten Viehzucht der Welt zu verteidigen. Was das Nachtleben anbelangt, ist Buenos Aires reich an Theatern und Kinos. Das Theater "Colón" ist eines der berühmtesten Opernhäuser der Welt. Dieser herrliche Bau ist, wie auch der des Staatstheaters "Cervantes", ein Meisterwerk der Architektur: Das Colón ist ein Beispiel für den Stil der Jahrhundertwende, das Cervantes ist reinster spanischer Platereskstil.

Sprechen wir vom Sport, muß der Fußball, weit über den Charakter einer Sportschau hinaus, als Leidenschaft betrachtet werden, die weder vor Altersunterschieden noch vor sozialen oder ökonomischen Unterschieden halt macht. Auch politische Anschauungen spielen keine Rolle, und die Leidenschaft für den Fußball erfaßt alle Berufsklassen. Die Spiele zwischen River Plate und Boca Junior - die beiden Clubs mit den meisten Anhängern - geben lange Gesprächsstoff in Büros, Schulen, Kanzleien usw. Die Beschreibung des Spiels, und selbstverständlich die Ergebnisse, nehmen die Titelseiten der Zeitungen ein. Die Diskussion über den Fußball fängt zuhause an, steigert sich im Stadion und wird in Schulen, Büros und Kanzleien usw. fortgesetzt. Was die Zahl der Anhänger betrifft, so steht das Pferderennen dem Fußball nicht nach: Zwei große Rennplätze, einer in Palermo und der des Jockey Clubs in San Isidro, sind in Buenos Aires der Schauplatz für herrliche Pferde berühmter einheimischer und ausländischer Züchter. Mit Stolz zeigt der argentinische Polo 40 Mannschaften, die zu den besten der Welt zählen.

Eine Beschreibung von Buenos Aires wäre nicht vollständig, ohne die Erwähnung einiger Gegenden, die besonders für Touristen attraktiv sind, aber auch von den Bewohnern von Buenos Aires gerne als Ausflugsziele genutzt werden. Von Tigre aus - für die Porteños "El Tigre" - kommt man zum Delta des Paraná, dessen Beschreibung der Leser in diesem Buch finden wird. Nur wenige Kilometer vom Zentrum von Buenos Aires entfernt kann der Reisende eine fast unberührte Landschaft mit stark tropischen Merkmalen bewundern. Ein Ausflug durch die Flüsse und Kanäle, mit irgendeinem der zu diesem Zweck angebotenen Wasserfahrzeuge, ist ein Erlebnis, das man nicht so schnell vergißt. Nicht weniger schön ist ein Spaziergang durch den Vorort San Isidro, der reich an Erinnerungen ist und bewundernswerte Häuser und Gärten besitzt. In der Stadt selbst kann man überall ausgezeichnete internationale Küche genießen. Außerdem bekommt man hier, sowohl im Stadtzentrum als auch die Costanera entlang, das beste Fleisch der Welt, das berühmte "Asado". Nicht ohne Stolz zeigt uns die Stadt ihre Straßen und Alleen: Florida, Santa Fe, Alvear, Arenales, Callao. Dort findet man elegante Geschäfte, in denen der gute Geschmack vorherrscht, den Damen und Herren in dieser Stadt pflegen, wenn sie auch die kleinen Details nicht vergessen, die die Mode begleiten.

Den gleichen guten Geschmack findet man auch bei Einrichtungsartikeln für Haus, Büro und Garten. Auch in den Stadtvierteln konzentrieren sich in bestimmten Straßen die Geschäfte, die mit erstklassigen Artikeln den guten Geschmack beweisen, den sie auch geschmackvoll präsentieren. Das trifft zum Beispiel auf die Straße Cabildo in Belgrano zu. Machen wir einen Spaziergang durch San Telmo, das Viertel der Antiquitäten - besonders sonntags, wenn auf der Plaza Coronel Dorrego die sogenannte "Feria de San Telmo" stattfindet -, bietet sich uns die Möglichkeit, alte und antike Gegenstände zu bewundern oder auch zu erstehen. In San Telmo und der Boca (Calle Caminito) sowie auch in anderen Stadtteilen, kann man dem Tango lauschen, der tief im Volk verwurzelt ist. Man kann ihn auch getanzt sehen oder, wenn man will, mittanzen. Namen wie Carlos Gardel, Homero Manzi und Julio de Caro gehören nicht nur zu diesen Orten, sie sind dort auch immer noch gegenwärtig.

DIE BERGE UND DIE HOCHEBENE

Der Nordwesten

umfaßt die Provinz Jujuy und Teile der Provinzen Salta, Catamarca und Tucumán

Die Puna, die Hochebene, hat ein eigenartiges, strenges Panorama mit der erhabenen Nüchternheit dieser Hochebenen. Sie ist das Reich des weißen Windes, kräftiger Grasbüschel, die man "Ichus" nennt, und Kakteen. Im Gebiet der subandinischen Berge findet man alte Gebirge, gezeichnet von Erdbeben, Wind und Wasser; von Flüssen gegrabene Schluchten bilden die Tore zu herrlichen Amphitheatern in den Tälern. Alles in allem, eine komplexe Landschaft, die uns nach einem heißen, wolkenlosen Tag eine eisige Nacht bringt. Von der Dürre der ärmsten Landschaft im Westen, wo nur das trockene Wüstengras überlebt, über Abhänge und Schluchten mit empor gerichteten Disteln und Kakteen, wo "Guanacos", Alpakas, "Vicuñas" und Lamas leben, bis hin zum tropischen Urwald im Osten, der reich ist an "Jacarandás" und "Lapachos". Hierher kamen die Eroberer aus Peru, und hier ließen sie sich nieder. Noch heute gibt es hier Siedlungen von ganz alten Völkern, die eifersüchtig die Symbiose der Eigenheiten ihres Volkes mit dem Spanischen hegen. Davon sprechen die noch bestehende alte landwirtschaftliche Technik, die sich mit der von den Spaniern mitgebrachten vermischt hat, und die Kleidung, die aus dem "Poncho" des Indio und der "Manta", die die

Frauen in Madrid und Andalusien tragen, besteht; aber auch die reizenden bestickten Blusen und Kleider, die "Ojotas" und der Reichtum der traditionellen Musik, ganz zu schweigen von religiösen Gedenkfeiern, die Mischung aus reinstem Pantheismus und tiefstem christlichen Glauben sind, sind hier zu nennen. Die Menschen, die später mit ihren Bohrtürmen, ihren Staudämmen, ihrer Technik für Ackerbau und Viehzucht, ihren Hochöfen und ihrem Uranabbau aus den verschiedenen Teilen der Welt kamen, sind dankbar dafür, im Gefüge der soliden Traditionen aufgenommen zu werden, und sie verschmähen es nicht, die schmackhafte "Chicha morada" zu trinken, die ihnen am Wegrand angeboten wird, sich den farbigen Poncho der Calchaquies oder den rot-schwarzen der Salteños umzuhängen und den Abend in den kühlen Hallen der rotgedeckten Häuser zu genießen. Der Reichtum an archäologischen Schätzen, die traditionelle Musik, deren Klänge weit über die Region hinaus zu hören sind, die Spuren echter spanischer Kunst, schöne und ungewöhnliche Landschaften und die Wahrzeichen einer modernen und vielversprechenden wirtschaftlichen Aktivität machen den Nordwesten zu einem der attraktivsten Touristenzentren Argentiniens. Hier einiges, was der Reisende unterwegs mitnehmen sollte: In La Quiaca (Jujuy) gibt es die ganze Farbenpracht der "La Manca Fiesta", des einzigen noch existierenden Jahrmarktes des Landes, zu bewundern. Ein Besuch in Humahuaca, der Schlucht gleichen Namens, Tor zur Puna und reiches archäologisches Lager; ganz in der Nähe, in Tilcara, die getreue Rekonstruktion des Pucará und die Farbsymphonie des Gebirges von Purmamarca. In San Salvador (Jujuy) die phantastische, aus "Ñandubay"-Holz geschnitzte Kanzel der Kathedrale und die Kirche "San Francisco". In Uquia die Dorfkirche, ein typisches Beispiel der Architektur des Altiplano. Erreicht man Salta, führen die von "Lapachos", Johannisbrotbäumen und "Palos-Borrachos" gesäumten Wege des "Lerma"-Tals zur beeindruckenden "Toro"-Schlucht, welches auch die Strecke ist, die der "Zug zu den Wolken" zurücklegt. Auf dem Weg nach Cafayate, in der Schlucht gleichen Namens, kann man eine bunte Vegetation und die phantastischen, über die Jahre vom Fluß in den Felsen gegrabenen Formen bewundern. Die traditionsreiche Provinz Salta, "die Schöne", präsentiert uns in ihrer Hauptstadt die Kathedrale, den "Cabildo", die Kirche "San Francisco", das Kloster "San Bernardo" und vor allem die alten Häuser. In ihren anderen Städten und Kleinstädten findet man eine starke Tendenz zu einer Mischung aus Frömmigkeit, Geschichte und Folklore, wie z.B. "La Fiesta del Milagro" (Das Fest des Wunders), "La Guardia bajo las Estrellas" (Wache unter den Sternen), "La Fiesta de la Candelaria" (Lichtmeß) oder den Karneval. Mitten in einer schwer zu bewirtschaftenden Landschaft finden wir Tabak-, Wein-, Zuckerrohr- und Getreidefelder, Viehzucht, v.a. Kamel- und Schafarten, und auch Forstwirtschaft, Bergbau, Erdöl- und Erdgasgewinnung und Wasserkraftwerke. Tucumán, unter den Spaniern obligatorische Route zwischen Alto Perú und Buenos Aires, war Schauplatz der Eroberung und anderer wichtiger Ereignisse der Geschichte. Das große Vorkommen an Bodenschätzen führte dazu, daß die Bevölkerungszahl Tucumáns sehr schnell wuchs, so daß diese Provinz mit der geringsten Fläche zum dichtest besiedelten Gebiet des Landes wurde. Die Hauptstadt, San Miguel de Tucumán, in der am 9. Juli 1816 die Unabhängigkeit erklärt wurde, ist heute ein reiches Landwirtschafts- und Industriezentrum. Die staatliche Universität von Tucumán ist eines der wichtigsten Kulturzentren des Landes. Die Konzentration auf Zuckerrohranbau und die Einrichtung von Zuckerraffinerien hat andere Formen der landwirtschaftlichen Nutzung nach sich gezogen und Industrien, wie Maschinenbau, Lastkraftwagen, Elektronik, Papier usw., in die Region gebracht. Aufgrund der Schönheit und der Traditionen vieler Orte, wie Tafí del Valle, Villa Nogués oder Quilmes, wird Tucumán "der Garten der Republik" genannt.

DIE REGION VON CUYO

umfaßt das Andengebiet und die Ebenen am Fuße der Berge in den Provinzen La Rioja, San Juan und Mendoza

Bis zum Norden von Neuquén, in der steinigen Halbwüste der kahlen Anden, herrschen der "Aconcagua" und andere Riesen. Oasen kultivierten Lands tauchen wie durch ein Wunder auf, begleiten die Flußläufe, die als Kanäle oder Rinnsale von der Kordilliere herunterkommen, von frischen Pappeln beschützt. Olivenbäume und Weingärten stillen das Heimweh der Menschen, die in sonnigen Ländern des Mittelmeerraums in Europa zur Welt kamen. Die Kinder der Einwanderer, hauptsächlich italienischen und spanischen Ursprungs, bilden im Inneren Südamerikas eine ethnische Gruppe. Im Gegensatz zu anderen Andengebieten des Kontinents gibt es hier kaum noch Spuren der Urbevölkerung. In den von den Flüssen geschaffenen Oasen entstanden durch die Arbeit des Menschen sowohl Obst-, Gemüse- und Olivenkulturen als auch Viehzucht. Zu Frühlingsbeginn steigen die Cuyanos, wie ihre europäischen Vorfahren, mit ihren Tieren in die Berge hinauf, um frisches Gras zu suchen. Sie führen vor allem Rinder, Schafe und Ziegen hinauf, obwohl letztere sich bescheiden mit dem dürren Gras der Berge zufrieden geben. Auch im Bezug auf Mineralien ist diese Region von Bedeutung: Kalk, Marmor (der Travertino von San Juan), feinen Ton sowie Metalle und Uran findet man hier. Von besonderer Wichtigkeit für das Land ist die Erdölgewinnung. Luján de Cuyo (Mendoza) ist eine der wichtigsten Raffinerien des Landes. Wenn von den Industrien in den Provinzen Cuyanos die Rede ist, muß man vor allem von der Weinerzeugung sprechen. Der Wein wird hier mit höchstem handwerklichen Geschick hergestellt, das auf eine von Generation zu Generation weitergegebene Methode zurückgeht. Er kann mit den besten der Welt mithalten. Andere Obst- und Gemüsesorten beliefern die gut organisierte Nahrungsmittelindustrie. Man muß hervorheben, daß die große Produktion und der Konsum dieser Region viele große Industriebetriebe des Landes veranlaßt hat, ihre Filialen hier einzurichten. Die hohen Berge sind ein Paradies für Bergsteiger aus aller Welt. Ungewöhnlichen Aufschwung hatten in den letzten Jahren die Wintersportgebiete mit ihrer hochmodernen Infrastruktur. Nach Osten breiten sich andere Landschaften aus, die zwar nicht das Vergnügen des Schnees oder der Oasen bieten können, deswegen aber nicht weniger imposant sind. Das sind die sandigen und salzigen Ebenen, Durchzugsgebiete der Einwanderer, von denen Sarmiento zu Facundo inspiriert wurde, oder das geologische Monument des "Valle de la Luna" (San Juan), von Wasser und Wind aus dem Stein gegraben, das mit seinen eigenwilligen Formen den Betrachter in Erstaunen versetzt. Der Reisende, der nach Cuyo kommt, ist zuerst von den schneebedeckten Gipfeln beeindruckt und dann vom fröhlichen Summen der Besprengungsanlagen und Bewässerungskanäle, die die Felder fruchtbar machen. Weinkeller und Weingärten sind Teil dieser Gegend, und im März kann man die "Fiesta de la Vendimia" (Weinlesefest) besuchen. Tupungato, Maipú und Luján bilden den traditionellen "Weinweg". Aufgrund der Vielzahl von Weinkellern, die man dort findet, gilt die Gegenden als eine der berühmtesten Oasen des amerikanischen Kontinents. Das dort herrschende, besondere Klima bietet optimale Bedingungen für eine außerordentlich ertragreiche Produktion bester Trauben und feinster Weine. In der Stadt Mendoza kann der Reisende die historischen Orte besuchen, die an den Feldzug des Generals José de San Martín erinnern: das Haus, in dem er gelebt hat, Schriftstücke über den Anden-Feldzug und die Fahne seiner Armee. Er kann auch den Park bewundern, der den Namen des Befreiers trägt. Die wunderbare Zusammenstellung aller Arten von Bäumen aus aller Welt ist ein Werk des französischen Architekten Carlos Thays. Der Park erhebt sich auf dem "Cerro de la Gloria", wo auch das Denkmal der Andenarmee steht. Verläßt man die Hauptstadt, kommt man zu den berühmten Thermalquellen von Cacheuta und Villavicencio oder zu den schon fast verlassenen, aber nicht weniger bekannten, vom "Puente del Inca". Nicht weit von dort befindet sich die Touristenstadt Las Cuevas und in ihrer Nähe das Denkmal des "Cristo Redentor". Bemerkenswert sind auch die Skigebiete in Los Penitentes und in Portrerillos und der hochmoderne und spektakuläre Touristenkomplex "Las Leñas" in Los Molles, bei Malargüe. Auf kulturellem Gebiete hat Mendoza den Sitz der Universität von Cuyo zu bieten, zu der verschiedene Fakultäten, Schulen und sehenswerte Museen gehören. San Rafael, die zweitwichtigste Stadt, war während der "Conquista del Desierto" ein Vorposten. Wenige Kilometer entfernt kann man den Nihuil-Damm bewundern. An der enormen Steigerung der Weinerzeugung ist San Juan mit den für die Gegend üblichen natürlichen Mitteln und menschlichen Kräften beteiligt. Die Hauptstadt San Juan ist der Ort, den Sarmiento in seinen Recuerdos de Provincia unsterblich gemacht hat. Weitere Attraktionen der Region Cuyo, "Land der Sonne und des guten Weines", sind "La Fiesta Nacional del Sol" (Nationalfest der Sonne) im August und der bereits erwähnte Naturpark von Ischigualasto, "Valle de la Luna" genannt.

PATAGONIEN

umfaßt den Süden der Provinz Mendoza, die Provinzen Neuquén, Río Negro, Chubut, Santa Cruz und Tierra del Fuego mit den dazugehörenden Inseln und Archipelen

Auf der Landkarte ein riesiges umgekehrtes Dreieck, mit einer Fläche von 750.000 Quadratkilometern, das an den Süden von Cuyo und La Pampa grenzt und seine Spitze in "finis-terrae" (Ende allen Landes) hat, in dem Land im Süden, hinter dem das eisige Reich der Antarktis beginnt. Der allgemeine Name Patagonien faßt jedoch zwei völlig verschiedene Landschaften zusammen: die Anden im Westen und die Hochebene im Süden, die terrassenförmig zum Ozean abfällt und dann in seinen Wassern versinkt.

Die patagonischen Anden

Vom 36. Grad südlicher Breite Richtung Süden verlieren die Anden ihren steinigen, kahlen Charakter. Hier streichen die feuchten Winde des Pazifik durch die Täler und kleiden die Abhänge in Wälder, die bis in die Höhe hinaufreichen. Eine wunderbare Sammlung von Bäumen, von denen einige nirgends sonst auf der Welt zu finden sind: der hohe, schlanke "Pehuén", der korpulente "Coihue", die mächtigen "Alerces", die Eiche, der "Raulí", der schöne "Arrayán", die Buchen. Zusammen mit den schneebedeckten Gipfeln spiegeln sie sich in den türkisfarbenen, grünen und glasklaren Wassern der Seen, sie wachen über Veilchen, Walderdbeeren, Schwertlilien und Lilien und machen so der viel gepriesenen Alpenlandschaft Konkurrenz. So sehen das die Bewohner dieser Gegend, viele von ihnen Europäer oder deren Nachkommen, die ohne Heimweh hier leben, die ihre Lebens- und Arbeitsgewohnheiten mitgebracht haben, sich schnell an diese Gegend angepaßt und sie liebgewonnen haben. Oft nimmt sich ein Reisender, der von der herrlichen Landschaft, der hohen Jagd, dem Lachsfang und dem Anblick der Skipisten beeindruckt ist, vor wiederzukommen, und nicht wenige sind hiergeblieben. Weiter im Süden, bis nach Feuerland, die Gletscher. Diese enormen Eisfelder, die sich erwärmen, wenn die Sonne sie liebkost, und in einem donnernden Schauspiel ihre Eisschollen in den See werfen. Davon sprechen der über den Lago Argentino aufragende Moreno- und Upsala-Gletscher - letzterer gilt als größter der Welt - zu den Reisenden. Zwischen Eisblöcken die Wasser des Sees zu durchsegeln, das ist beeindruckend. So kommen wir ans Ende allen Landes... Dorthin, wo die "Lenga", der "Ñire" und der "Canelo" den Winden Trotz bieten, wo sich Grassteppen, reißende Flüsse, Schneehalden und sumpfige Torfgruben abwechseln. Ende dieser Geographie der Kordilliere. Wer sie in ihrem ganzen Ausmaß genießen will, muß wissen, daß die Nationalparks, "Lanín", "Nahuel Huapi", "Los Arrayanes", "Los Alerces", "Los Glaciares" und viele mehr, alle bereits beschriebenen Attraktivitäten besitzen: Wälder mit Jagdrevieren; Skigebiete, wie "Chapelco", "Cerro Catedral" und "La Hoya"; eine enorme Anzahl von Seen mit wechselnden Landschaften - Lácar, Nahuel Huapi, Correntoso, Lolog usw. -, die sich ausgezeichnet zum Fischfang und zum Wassersport eignen. Nicht weniger attraktiv ist die Möglichkeit, durch die Parks zu reiten oder in verschiedenen Bootsarten Seen und Ströme zu überqueren oder das Abenteuer in Spezialfahrzeugen für steiniges, wegloses Terrain zu wagen. Unter den Städten ist das am Ufer des Nahuel Huapi gelegene San Carlos de Bariloche mit seinem Geruch nach Bergluft das malerische Eingangstor zu einem der schönsten Orte der Welt. Seine Grundlage ist der ganzjährige Tourismus, aber es ist auch Sitz des Instituto Balseiro im "Centro Atómico Bariloche", wo Ingenieure für Kernenergie und Physiker ausgebildet werden. Darüber hinaus muß noch das weltberühmte Orchester "Camarata Bariloche" erwähnt werden und das Ausbildungszentrum für Nationalparkhüter, das größte in Südamerika. Die Schokoladeherstellung ist zu internationalem Ruhm gekommen. Ushuaia, Hauptstadt von Feuerland und südlichste Stadt der Welt, steht heute wie ein Leuchtturm des Fortschritts da, dank seiner starken Industrialisierung, die eine stabile und unternehmerische Bevölkerung mit sich gebracht hat, trotz des ungewöhnlichen Breitengrades. Wichtig sind auch die Konstruktionen, die für die Stromgewinnung und die Wasserversorgung der ganzen Region entstanden sind: der Ezequiel-Ramos-Maxía-Stausee in El Chocón (mit einer Produktion von mehr als eineinhalb Millionen Kilowatt), in Chubut der Florentino-Ameghino-Stausee und der Futaleufú-Damm, der die Aluminiumfabrik in Puerto Madryn mit Energie versorgt.

Die patagonische Hochebene

Schwerer ist es, über den außerandinischen Teil Patagoniens zu sprechen, der auch patagonische Hochebene genannt wird. Dieses trockene Land wird von Flüssen begrenzt, die keine Zuflüsse haben, der Boden ist sandig und steinig; es ist das Reich des "Mará", des patagonischen Hasen. Meist wird dieser Landstrich mit der Vorstellung von einer grausamen und ungastlichen Wüste assoziiert, wo nur die Schafe, die sich mit dem harten, dürren Gras zufriedengeben, mit ihrer dichten Wolle dem eisigen Wind Widerstand leisten können. Oder man sieht die Erdölfördertürme, die sich bis zur Küste des Ozeans erstrecken, in die Höhe ragen, als wollten sie die nicht existierenden Bäume ersetzen. Es fällt ins Auge, welch reiche, noch nicht ausgenutzte Erdölreserven dieses Land hat. All dies ist Teil des außerandinischen Patagonien. Es gibt aber auch das Alto Valle, am oberen Abschnitt des Río Negro, wo auf einer Länge von 120 Kilometern eine Bevölkerung lebt, die mit viel Arbeit und großer Entsagung diesen Teil des Landes in einen Obstgarten verwandelt hat. Von Frühlingsbeginn bis zum Herbst, von der Blüte zur reifen Frucht, ein herrlicher Anblick. Es ist ein Vergnügen, beim Durchwandern dieses Landstriches Apfel- und Birnbäume und Trauben zu bewundern, die im Schutze des Schattens der Pappeln wie durch ein Wunder aus der Wüste wachsen. Der walisischen Kolonie am Río Chubut, wenige Kilometer vor seiner Mündung in den Ozean gelegen, gelang es ebenfalls, diese Früchte zu züchten. Sie konnten zeigen, welch ein Unterschied zwischen "mit einem Fluch belegter", unfruchtbarer Erde und einer lediglich vertrockneten Erde besteht, die nur der Gnade des Wassers und der Arbeit des Menschen bedarf. Davon zeugen auch die großen Landgüter in Río Grande, wie z.B. "María Behety", mit ihren riesigen Schuppen für die Schafschur. Dort hat man das beste Weideland für Schafe entstehen lassen, deren Wolle auf dem internationalen Markt hohe Preise erzielt. An seinen ausgedehnten, hohen Steinküsten mit ihren Buchten, die den Schiffen als Zufluchtsort dienen, bietet dieser Landstrich das einmalige und ungewöhnliche Schauspiel seiner Kolonien von See-Elefanten, Seelöwen und Pinguinen. Oder Mitte Juni, im Golfo Nuevo, das Eintreffen der Wale. Von den hohen Klippen in Puerto Pirámides am Golfo Nuevo kann man eine der größten Seelöwenkolonien beobachten. Die klaren Wasser des Golfo Nuevo haben Puerto Madryn zur "Wasserhauptstadt" Argentiniens gemacht. Die breite submarine Plattform Patagoniens begünstigt den Hochseefischfang durch ihre enorme Vielfalt an Fischarten. Die Erdölgewinnung von Neuquén bis Feuerland hat dem Land nicht nur große Bohrtürme gebracht, sondern mit den großen Niederlassungen der Unternehmen, an der Spitze Comodoro Rivadavia (Zentrum des größten Erdölvorkommens des Landes), auch die Entstehung wichtiger Siedlungen, deren Bewohner sich auch mit Ackerbau, Viehzucht und Fischfang befassen. Die Gasleitungen, die von Comodoro Rivadavia nach Buenos Aires und La Plata führen, zeugen von den reichen Erdgasvorkommen dieser Gegend. Auch bedeutende Industriezentren sind in dieser Region Patagoniens entstanden, wie z.B. die Aluminiumfabrik von Aluar in der Provinz Chubut. Das Land der Tehuelches und der Araucanas bietet Zeugen der Vergangenheit: von den Versteinerten Wäldern in Chubut und Santa Cruz über die "Cueva de las Manos" (Höhle der Hände) in der Schlucht des Flusses Pinturas bis zu den neueren Kolonien der Waliser in Gaiman.

DIE SIERRA

DIE SIERRAS DER PAMPA

Diese Region umfaßt Teile der Provinzen Tucumán, Catamarca, La Rioja, San Juan, Santiago del Estero, Córdoba und San Luis.

Zwischen Hügelketten, Tälern und höher gelegenen Ebenen - die höchsten nennt man "campos", die tiefer gelegenen "llanos" -, mit einem rauhen Klima und mit der starken kulturellen und geistigen Gleichförmigkeit seiner Bewohner bietet diese Region verschiedene Landschaften, von denen sich einige wegen ihrer unverwechselbaren Merkmale auszeichnen.

In Tucumán die "Selva Serrana" (Urwald) mit subtropischem Klima, an den östlichen Abhängen der Sierra Aconquija gelegen, die sich bis zu 1400 Meter in die Höhe erhebt, mit Lorbeer, Zedern, "Tipas",

Walnußbäumen und "Lapachos" geschmückt, eingewickelt in Lianen, die von Orchideen geschmückt werden.

In Catamarca das herrliche natürliche Amphitheater des Tales, eine der vielen kultivierten Oasen der Provinz, wo die Hauptstadt, San Fernando del Valle de Catamarca (der Anblick der Stadt von der Anhöhe des Portezuelo aus ist ein Genuß, den man sich nicht entgehen lassen sollte), liegt. Dort werden die Feste der "Virgen del Valle" gefeiert, und erfahrene Weberinnen stellen ihre Arbeiten bei der "Fiesta del Poncho" aus. Am westlichen Rand der Sierra bieten die Felder und das tiefe Tal der Talampaya das geisterhafte Schauspiel einer von Erosion geprägten Landschaft, die sich im "Valle de la Luna" in San Juan fortsetzt. Auch in La Rioja, in den Feldern und Ebenen, findet man, dank der Bewässerung, neben der natürlichen Flora von "Algarrobios", "Chañares" und "Quebrachos", die von der "Flor del Aire", die sich an ihren Stämmen einnistet, geschmückt werden, reiche Obst- und Gemüsekulturen mit Weingärten, Oliven und Walnußbäumen. Die zweitwichtigste Stadt der Provinz La Rioja ist Chilecito mit seiner herrlichen Lage am Fuße des Fatima. Ihren größten Aufschwung erlebte die Stadt im 19. Jahrhundert aufgrund der Ausbeutung der Gold- und Silberminen der Region. Heute entstehen in seinen Weingärten und zahlreichen Weinkellern Weine von anerkannter Qualität. In vielen Orten von La Rioja werden das ganze Jahr über die bei den Einwohnern äußerst beliebten Feste gefeiert: "La Fiesta del Encuentro" zu Ehren des "Niño Alcalde" und von San Nicolás, "La Fiesta de la Chaya" im Karneval, die Wallfahrt zu den "Pardecitas" und viele mehr.

Die Sierras von Córdoba gehen im Osten in die feuchte Tiefebene, "Pampa", über. Ihre Landschaft und ihr Klima haben sie zu einer der beliebtesten Regionen des Landes gemacht, und nicht nur für den Tourismus, sondern auch, und das bereits in den Anfängen der Kolonisation, als ständigen Wohnsitz des Menschen. Von Cruz del Eje nach Calamuchita, vorbei an Ascochinga, La Falda, La Cumbre, Cosquín, Villa Carlos Paz oder Alta Gracia, bietet die Sierra die berühmten Touristenzentren unter einem klaren Himmel, mit einer strahlenden Sonne, mit nützlichem Regen und mit einer herrlichen Vegetation, vor allem in den östlichen Abhängen. Zu diesen Gaben der Natur kommen das ausgezeichnete Straßennetz und viele alte und neue Dämme hinzu, die die Wasser seiner Flüsse und Bäche ausnützen. Besondere Aufmerksamkeit verdienen der Damm von San Roque, an dessen Ufern der beliebte Ferienort Carlos Paz liegt, und der Río-Tercero-Damm, der ein System von Seen und Dämmen inmitten der Hügel beherrscht. Eine reiche geschichtliche Tradition ist in Bevölkerung und Städten verwurzelt, wovon gut erhaltene und wertvolle Gebäude Zeugnis ablegen, wie z.B. die Landgüter der Jesuiten in Alta Gracia und Santa Catalina in Ascochinga. Von letzterem wurde gesagt: "Es ist sicher, daß (...) der Schöpfer des Tempels, im Rahmen der bescheidenen Architektonik des 18. Jahrhunderts, ein außerordentlicher Künstler war." Auch in Sprache und Gewohnheiten der Bevölkerung sind Spuren der Vergangenheit zu finden.

Der nördliche Teil von San Luis bietet die gleiche Landschaft wie die Sierras der Pampa. Die Stadt San Luis, Hauptstadt der Provinz, zeigt deutlich den Einfluß des spanischen 19. Jahrhunderts, doch fügen sich dem nach und nach die Spuren des Fortschritts hinzu. Villa de Merlo wird als "Hauptstadt der Sierras" betrachtet. Es liegt hoch über der Sierra Comechingones, und bietet einen herrlichen Blick über das Tal von Conlara mit seiner reichen natürlichen Vegetation und seiner kultivierten Landschaft. Die unberührten Gebiete sind Lebensraum für verschiedene einheimische Tierarten: Vögel, Pumas, Eidechsen und viele mehr.

DIE EBENE

DER PARK VON CHACO

umfaßt die Provinzen Formosa und Chaco und Teile der Provinzen Córdoba, Santiago del Estero, Tucumán, Salta und Santa Fe

Chaco ist Quechua und bedeutet "Jagdgrund". Es ist vollkommen eben, mit einer leichten Neigung zu den Flüssen Paraguay und Uruguay hin, was das Abfließen seiner eigenen Flußläufe verhindert. Der Wald ist dicht und undurchdringlich im östlichen Teil; typische Bäume sind der "Quebracho", der "Viraró", die "Tipa", die Eiche und die Zeder, die zwischen Lianen und anderen Schlingpflanzen stehen. Die Waldlichtungen, "abras", werden für den Ackerbau genutzt. Daneben gibt es große Schwemmlandgebiete, einige von ihnen mit Salzwasser, andere mit exotischen Wasserpflanzen, Enten, Reihern und Flamingos. Die Wälder und Flüsse werden von Pumas, Wildkatzen, Frettchen, Skunks, Rotfüchsen, "Nutrias" und "Yacarés" bevölkert. Nach Westen hin verarmt der Wald zunehmend, bis nur noch ein niedriges, dorniges und undurchdringliches Gestrüpp übrigbleibt. In anderen Gegenden sind die Wälder weniger dicht, v.a. Palmen und "Ceibos" wachsen dort, und die Flüsse sind reich an "Pejerreyes", "Surubíes" und "Dorados". Innerhalb dieser Geographie spielt der Mensch eine wichtige Rolle. Die einheimische Bevölkerung wurde von den Eroberern verdrängt, und in letzter Zeit fördert die starke Zuwanderung den Fortschritt in diesem Gebiet.

Die frühere Nutzung, die vor allem aus dem Fällen der "Quebracho"-Bäume zur Tanningewinnung und aus Baumwollpflanzungen bestand, wird heute von vielfältigen Arbeitsweisen ersetzt, die von einer rationalisierten Nutzung der Wälder über vielfältigen Ackerbau und selektive Viehzucht bis zur Niederlassung einer der Verarbeitung der Rohstoffe angemessenen Industrie reicht. Die sogenannte "Diagonal Fluvial"-Zone in Santiago del Estero, zwischen den Flüssen Dulce und Salado, ist ein ausgesprochen fruchtbares Gebiet und seit langem schon ein idealer Ort der Besiedelung: Hier wurde die erste Stadt auf argentinischem Boden gegründet (im Jahre 1550), die heute Hauptstadt der Provinz ist.

In dieser Region des Chaco-Parkes wird sich der Reisende zuerst von dem Schauspiel der Wälder angezogen fühlen, und aufgrund des Straßennetzes wird es ihm möglich sein, diesen in allen Richtungen zu begehen und ihn so ganz zu genießen. Wenn er mag, kann er seine Fertigkeiten in der Jagd oder Fischerei unter Beweis stellen. Er kann auch sehen, wie die Eingeborenen leben, und in Quitilipi kann er sowohl den Kunsthandwerksmarkt besuchen als auch am nationalen Baumwollfest teilnehmen.

DAS ZWEISTROMLAND ARGENTINIENS

umfaßt die Provinzen Misiones, Entre Ríos und Corrientes und mit dem Paraná-Delta einen Teil der Provinz Buenos Aires.

Wir sprechen von vier Provinzen, jede mit ihrer ganz eigenen Realität, fast ganz eingeschlossen zwischen den Flüssen Paraná und Uruguay.

Die Sierras und der Urwald

In Misiones bedeckt die immergrüne Vegetation des Waldes mit ihren mehr als 2000 bekannten Arten fast das ganze Gebiet der Provinz. Sie überzieht die Anhöhen seiner Sierras und bildet einen Kontrast zu der roten Erde. Eine verschlungene Formation von Pflanzen, großen Bäumen ("Quebrachos", "Lapachos", "Timbó", "Palo Rosa", "Petiribí", Palme, "Yatay"), baumartigen Farnen, Lianen, Orchideen und Sträuchern und in den tieferen Teilen des Waldes Moos. Hier leben Leoparden, Wildkatzen, Pumas, Jaguare, Affen, "Coatíes", Ameisenbären, Wild, Tapire und mehr als 4000 Arten kleiner und großer Vögel ("Cardenales", "Calandrias", Papageien, Tukane") und eine Vielzahl von Schmetterlingen. Jäger können Enten, Rebhühner, "Pecaríes", Wildschweine und Hirsche schießen. Das Erlegen von Jaguars, Pumas, Ameisenbären, Affen und Eichhörnchen ist verboten. Das Sportfischen, v.a. des "Dorado", der der wildeste Fisch ist, hat sein wichtigstes Zentrum im Nationalpark des Fischfangs von Caraguaytá. Von diesem Urwald gehören mehr als 50.000 Hektar zum Nationalpark von Iguazú, wo die Laune der Erde eines der grandiosesten Naturschauspiele hervorgebracht hat: Die Wasserfälle von Iguazú. Sie bilden aufgrund der Wassermenge und ihres Getöses, aufgrund des Regenbogens, den die Sonnenstrahlen im über dem Wassern schwebenden Dunst entstehen lassen, und aufgrund des unberührten Waldes, der den Hintergrund abgibt, Teil des nationalen und weltweiten Naturerbes. Misiones ist das Land der harten Arbeit und der Pioniere. Bereits im 17. und 18. Jahrhundert haben die Missionare der "Compañía de Jesús" zehn Ureinwohnersiedlungen gegründet, die in politisch-ökonomisch-religiöser Hinsicht als Modelle gelten. Eine der bemerkenswertesten Siedlungen war die von San Ignacio Miní, 25 km von der Provinzhauptstadt Posadas entfernt. Ihre Ruinen, die zum Teil noch recht gut erhalten sind, überraschen den Reisenden. Den bescheidenen, anspruchslosen Mensús, die Schneisen in den Wald schlugen, um die hier wachsenden Matepflanzen zu nutzen, folgten dank der Immigration vor allem Deutsche, die von Brasilien kamen und blühende Kolonien schufen, wie z.B. Eldorado. Die Matepflanze, der Tee, die Maniokpflanze, der "Tung", der Tabak und die Zitrusfrüchte bilden heute die Grundlage einer technisch vielfältigen Landwirtschaft, die dem Urwald immer mehr Boden abgewinnt und eine bedeutende Industrie für landwirtschaftliche Produkte mit sich bringt. Von einer rationalisierten Nutzung der Nadelbaumbestände, aus deren Fasern Papier hergestellt wird, sprechen die Fabriken in Puerto Piraí und Puerto Mineral.

Die Sumpfniederungen

Wenn man nach Corrientes kommt, fällt zuerst der weiche Akzent des Guaraní auf, in dem die Einwohner sich verständigen. Aber sie sind alle zweisprachig. Ihr Charme macht sich in allen Dingen bemerkbar, und man entdeckt schließlich, wie Tradition und Patriotismus in jeder Person, in jedem Dorf, in jeder Stadt, in den Straßen, Kirchen und Denkmälern leben. Es ist schwer, die Dinge von der mentalen Einstellung zu trennen. Die Geographie ist traurig, im Zentrum bedecken die Sumpfniederungen das Land: "Esteros" von Iberá, wo der "Yacré" und der "Irupé" herrschen. An den Grenzen befinden sich Anhöhen, die in malerischen Terrassen zu den zwei großen Flüssen, Paraná und Uruguay, abfallen. Tropischer Urwald bedeckt die höheren Regionen, die sich entlang der Flüsse nach Süden ausbreiten. Die Reisfelder am Rande der Sumpfniederungen, die von den Orangen, die sie bis zu deren Verarbeitung mitführen, ungewöhnlich gefärbten Gewässer der Flüsse, die Tabakfelder und die in den Familien für das fast rituelle "Chipá" erwartete Maniokpflanze sind Teil dieser Landschaft von Corrientes. Der "Dorado"- und "Pirayú"-Fischfang führt hier jedes Jahr die Fischer zu einem Internationalen Wettbewerb zusammen. Auch die Hahnenkämpfe in Goya sind eine vielbesuchte Attraktion. Manche schauen nur zu, andere schließen Wetten ab. Während des Aufenthaltes in Corrientes wird der Reisende immer wieder auf solche Spektakel stoßen, die den geruhsamen Rhythmus der Bewohner einmal unterbrechen. Was die Religion betrifft, sind die frommen Feste von "Nuestra Señora de Itatí" zu erwähnen, die besonders farbenfroh sind. Auch der Karneval von Corrientes, dessen Ruhm weit über die Grenzen der Provinz hinausreicht, muß hier genannt werden. Und zur Ehrung der menschlichen Arbeit gibt es das Nationale Teefest in Oberá, das des Tabaks in Goya und das der Orangen in Bella Vista. Im August findet in der ganzen Provinz, v.a. aber in seinem Geburtsort Yapeyú, das Fest zu Ehren des Befreiers José de San Martín statt. Viele der ihn begleitenden Grenadiere kamen aus Corrientes.

Hervorzuheben ist, daß der südliche Teil von Corrientes, von der Stadt Mercedes aus, wegen seiner besonderen Merkmale zur sogenannten "Subregion der Hügel von Entre Ríos" gezählt werden muß.

Die Hügel

Vom Süden von Corrientes bis zum Deltagebiet des Paraná erstreckt sich das Hügelland, dessen höchste Erhebung nur wenig über 100 m reicht. Das Klima ist günstig, und es gibt reichlich fruchtbare schwarze Erde. Der Wald von Entre Ríos, der eine Zeitlang auch "Selva de Montiel" genannt wurde, hat einiges von seiner Schönheit verloren. Mit seinen Weiden, "Talas" und "Ñandubay" erstreckt er sich galerieförmig an den Flüssen entlang, die die weiten Wiesen baden. Am Uruguay gibt es Palmwälder, von denen besonders der Nationalpark "El Palmar" in Colón erwähnt werden muß, der aus Tausenden von "Yatay"-Palmen besteht, von denen einige mehr als 800 Jahre alt sind. (Es gibt auch einige versteinerte Exemplare.) Sie wachsen zwischen Moosen und Farnen in einer herrlichen Landschaft von Wiesen, Dünen und Bächen. Wegen seiner guten Bodenbeschaffenheit und seines Klimas ist Entre Ríos die landwirtschaftlich reichste Zone des Landes. Davon zeugen seine reichen Getreide- und Flachsernten, die üppige Produktion von Zitrusfrüchten, die große Viehzucht und die Geflügelzucht, die fast die Hälfte der gesamten Landes einnimmt. Die Industrie zur Verarbeitung landwirtschaftlicher Produkte steht im Einklang mit den angebauten Sorten. Ursprünglich Land der Guaraníes und Charrúas, dann von Spaniern bevölkert, zu denen sich Immigranten aus anderen Ländern Europas gesellten, ist es seit der Mitte dieses Jahrhunderts vor allem von Deutschen besiedelt worden, wovon die deutschen Kolonien in Gualeguaychú Zeugnis ablegen. Das patriotische Heer zog durch dieses Land, das Schlachtfeld für den Kampf der Nationalen Organisation war: Bis 1883 war Concepción del Uruguay Hauptstadt der Provinz. In seiner staatlichen Schule wurden berühmte Männer des Landes erzogen. In der Nähe von Concepción kann man den Palast "San José" besuchen, ein beeindruckendes Gebäude, das der General Justo José de Urquiza als Residenz errichten ließ. Das über dem Fluß liegende Paraná ist mit Santa Fe durch den Unterwassertunnel "Hernandarias" verbunden, der mehr als 2900 Meter lang ist. Paraná liegt inmitten einer herrlichen Vegetation an einem strategisch günstigen Ort und war deshalb einst eine Bastion zur Verteidigung gegen den Feind. Unter den Bauwerken der Infrastruktur sind vor allem die Eisenbahnbrücke "Brazo Largo" in Zárate, die eine wichtige Verbindung des Zweistromlandes zum Rest des Landes darstellt, und das Wasserelektrizitätswerk "Salto Grande", ein Gemeinschaftsunternehmen von Argentinien und Uruguay, hervorzuheben.

Das Paraná-Delta

Kaum mehr als 30 km vom Zentrum der Stadt Buenos Aires entfernt findet man eine der schönsten Landschaften des Landes. Bevor der Paraná in den Río de la Plata mündet, teilt er sich in unzählige Arme, Kanäle und Bäche mit unterschiedlichen Namen, die eine Vielzahl von Inseln mit üppiger Vegetation umschließen. All dies gibt der Landschaft Rhythmus und Farbe: das Grün der Bäume, das Rot der Blüten des "Ceibo", die Orangenbäume, das Wasser, das an einigen Stellen kristallklar und grün ist, die Segel der Yachten, die Farben der transportierten Produkte, das fortwährende Umherflattern der Vögel, das sanfte Wispern der Weiden, die ihre Zweige an den Rändern der Flüsse baden, der Lärm der mit Schulkindern gefüllten Boote, das Pfeifen und die Sirenen der großen Fähren und das schäumende Kielwasser der verschiedenen Wasserfahrzeuge. Auf den Inseln gibt es vielfältige Bauweisen: Molen, malerische Wohnhäuser, die wie Pfahlbauten ihre Pfähle in den Grund des Flusses versenken, dazwischen Gasthäuser und Erholungsanlagen. Als Ort der Zerstreuung bietet das Delta auch das einfache Vergnügen, die Gewässer in einem eigenen oder gemieteten Boot zu durchstreifen, sowie alle Arten von Wassersport, was von bedeutenden Einrichtungen unterstützt wird: Rudern, Wasserski, Motorboot, Segeln, Surfen. Auch Fischen und Jagen gehören zu den Angeboten. Aber das Delta ist auch Wohngebiet. Spuren der ursprünglichen Bewohner, der Guaraníes, findet man jedoch nur noch in den Ortsnamen. Städtische Zentren existieren nicht, mit Ausnahme der wenigen, die sich im Rahmen des Baus des Zárate-Brazo-Largo-Komplexes gebildet haben. Die Arbeit ist schwer, da die Erde überschwemmt und weggeschwemmt wird. Mit dem Bau von Mauern wird die Erde geschützt, auf der Obst und Gemüse wachsen. Auch Neuseelandflachs und Korbweiden werden angebaut, aber man ist besonders um die Anpflanzung von Nadelbäumen bemüht, die zur Papierherstellung dienen. Als großer Verbündeter steht das Klima da.

Die Tiefebene, die "Pampa"

umfaßt die "Pampa húmeda", die drei Viertel der gesamten Ausdehnung einnimmt, und die "Pampa seca" oder Steppe; sie erstreckt sich fast über das gesamte Gebiet der Provinzen Buenos Aires und La Pampa und über Teile der Provinzen San Luis, Córdoba und Santa Fe.

Bei vielen Leuten, die von der "Pampa" sprechen, hat man das Gefühl, daß sie ganz Argentinien meinen. Es kostet, diesen Irrtum zu korrigieren, besonders wenn der Reisende von Buenos Aires aus das Land betritt. Wie sollte man ihn überzeugen, daß diese 700.000 Quadratkilometer der "Pampa" - fast 20% des gesamten

Territoriums - nicht das ganze Land sind? Der ebene, leicht gewellte Boden im Norden und Nordosten, etwas abgesenkt im Zentrum, wird erst in den Sierras von Córdoba zu höherem Land. Unterbrechungen bilden lediglich die Sierras von Tandil und Ventana. Hinter den Klippen des Paraná und hinter dem Río de la Plata erstreckt sich eine Küstenebene mit Dünen und Stränden, mit einigen felsigen Teilen und mit Steilküste. Das Klima, das fast in der ganzen Region gemäßigt und feucht ist, begünstigt das Wachstum von Futterpflanzen und weichem Gras. "Pampa" bedeutet "Erde ohne Bäume". Wälder gibt es nur in der Randzone dieses Gebietes: Überreste des Waldes am Río Paraná und Bergvegetation mit hartem Gras und vereinzelten Bäumen in der Steppe im Südwesten. Im allgemeinen eine monotone Landschaft, ohne die auffälligen Merkmale anderer Regionen. Doch der Mensch hat in der Pampa das Szenario verändert: er hat Millionen von Bäumen aus aller Welt gebracht - Nadelbäume, Pappeln, "Paraísos", Eukalyptus, "Aromos", Palmen lassen an richtig beständige Wälder denken; die gut bearbeiteten Felder zeigen, je nach der Jahreszeit und nach der Sorte der Feldfrüchte, die Farben von Flachs, Sonnenblumen, Getreide, Futterpflanzen oder blühenden Obstbäumen, die sich in unendlichen Weiten am Horizont verlieren. Diese natürliche Landschaft beherbergt Tausende von Rindern, die die Weiden bevölkern, hohe Türme von Silos, schöne Häuser der Landgüter mit Ackerbau und Viehzucht, "Estancias" genannt - eines der schönsten Beispiele ist das Haus von "La Biznaga" in Roque Pérez -, und auch bescheidene Hütten im Schatten der Bäume. Der Bauer der Pampa, der argentinische Gaucho, guter Reiter und anonymer Held im argentinischen Unabhängigkeitskampf, pflegt Gewohnheiten und Traditionen, die ihn zum Symbol dieser Region machen: Er ist seiner Kleidung, dem "Poncho" und dem "Chambergo", treu; sein "Facón" (Messer), sein Sattelzeug, sein Mate zu jeder Tageszeit und die Belohnung mit einem "Asado" dürfen nicht fehlen... Diese bukolische Landschaft wird heute von vielen Industriegebieten unterbrochen, da inzwischen 85% der landesweiten Produktion aus den Fabriken der Pampa kommen. Das ist der Hauptfaktor für die ungleiche Verteilung der Bevölkerung: Städte und Gehöfte im Landesinneren haben eine geringe Bevölkerungsdichte, Städte wie Córdoba, Rosario, Buenos Aires, Bahía Blanca usw. sind, zusammen mit ihren Vorstädten, überbevölkert, da sie zum größten Teil Industrie- und (mit Ausnahme von Córdoba) Hafenstädte sind.

Aufgrund ihrer riesigen Ausmaße ist es schwierig, in kurzer Zeit die gesamte Pampa zu besuchen. Der Reisende kann den Anblick der Felder genießen und ländliche Bräuche und Traditionen bewundern, kaum daß er sich einige Kilometer von den städtischen Zentren entfernt hat. Wenden wir uns der Geschichte zu, so hat jeder Ort der Pampa etwas zu erzählen: Die Gründung der Städte - Santa Fe, Córdoba, Buenos Aires -, die Gefahren der Indio-Überfälle, die Eroberung der Wüste, die internen Kämpfe zur Stabilisierung der Nation - all das hat jede Stadt und jedes Dorf zu einem Protagonisten gemacht. Einige sind stolz darauf, befestigte Vorposten in der Wüste gewesen zu sein. Einige, wie Córdoba, bewahren fast vollständig die Zeugnisse der Vergangenheit. Es liegt auf dem Weg zur Region der Sierras, herrscht über die Öffnung zur Ebene und speziell zur Pampa. Wegen seiner strategisch günstigen Lage und seinen leicht zugänglichen Bodenschätzen, war es seit seiner Gründung im Jahre 1573 ein attraktiver Ort der Besiedelung. Von seiner religiösen und kulturellen Tradition zeugen die Kathedrale, ein Juwel der lateinamerikanischen Architektur, der Tempel und die Schule der "Compañía de Jesús", das Gebäude der Universität und der Cabildo - alle aus der Zeit des 17. Jahrhunderts - und die Klöster und großen Herrenhäuser, die den Stempel des spanischen Einflusses tragen und von einer in jeder Hinsicht reichen Vergangenheit sprechen. Heute ist Córdoba der Sitz der Universität von Córdoba und vieler anderer kultureller Institutionen und steht, was Landwirtschaft und Viehzucht angeht, wirtschaftlich an der Spitze. Aufgrund seiner Einwohnerzahl ist es die zweitgrößte Stadt des Landes und eines der wichtigsten Industriezentren. Der Prozeß der Industrialisierung hat Córdoba in den letzten 30 Jahren zu einer Großstadt werden lassen, und das nicht nur, weil sich die Einwohnerzahl in kurzer Zeit verdoppelt hat, sondern auch aufgrund des vielseitigen Angebots an Aktivitäten, das damit einherging. In der Pampa gelten als besondere Attraktion die zeitweise dicht bevölkerten Städte mit Strandbädern an der atlantischen Küste, u.a. Mar del Plata, eines der größten und beliebtesten Touristenzentren des Landes. Eingeschlossen in einen privilegierten Landstrich - man spricht von einem ausgezeichneten Mikroklima -, an dem der Ozean seine zahlreichen, weiten Strände ausbreitet, mit geschmackvollen Gebäuden, mit Blumen, die die Gärten verschönern, mit seiner sympathischen, städtischen Atmosphäre wird Mar del Plata zu einem idealen Ferienort.

Rosario ist der Einwohnerzahl nach die drittgrößte Stadt des Landes. Es ist stolz auf seinen Hafen, über den die Produktion des Zentrums und des Nordens des Landes verschifft wird, um die Route des La Plata und des Ozeans zu erreichen. Der besondere Charakter der Einwohner Rosarios, größtenteils Italiener, hat Rosario zu einem mächtigen Zentrum der Arbeit und des Fortschritts werden lassen, was sich in seinen Parkanlagen, Avenidas und modernen Gebäuden zeigt. Der Park "Belgrano", wo das Denkmal der argentinischen Flagge und ihres Schöpfers steht - Werk mehrerer Bildhauer Argentiniens -, befindet sich an der Stelle, wo die Fahne zum ersten Mal gehißt wurde. Der Park "Independencia" hingegen, ist einer der schönsten und größten des Landes. Von Santa Fe, dessen Hauptstadt von Juan de Garay noch vor Buenos Aires gegründet wurde, soll noch Esperanza, die erste landwirtschaftliche Siedlung Argentiniens, genannt werden, die im Jahre 1856 von Aarón Castellanos gegründet wurde.

Und so ist es kein Zufall, daß dieser kurze Überblick über das vielfältige Wesen Argentiniens mit der Region der Pampa endet. Aldo Sessa ist die geglückte Idee zu verdanken, sein Werk mit drei ausgezeichneten Aufnahmen in der Estanzia "Don Manuel" bei Rancul, Provinz La Pampa, abzuschließen. Das flackernde Lagerfeuer, um das sich Viehtreiber mit dem Matetee und der Gitarre in der Hand scharen, ersetzt nun die Sonnenstrahlen.

ARGENTINIEN. Ein fotografisches Abenteuer.

Bildunterschriften

DIE STADT BUENOS AIRES

S. 14 Der Obelisk (Detail).
S. 15 Avenida 9 de Julio. Der Obelisk.
S. 16 Stadtansichten: a) Schulschiff A.R.A. LIBERTAD. b) Omnibusse, sogenannte "Colectivos". c) Antiquitätenmarkt auf der Plaza Coronel Dorrego. d) Der Nereiden- Brunnen von Lola Mora. Avenida Costanera Sur. e) Landwirtschaftsmesse "Rural" in Palermo. f) Blick auf die Straße Florida.
S. 17 Granaderos zu Pferde, im Hintergrund die Militärklub Círculo Militar
S. 18 Theater Colón, Zuschauerraum
S. 19 Theater Colón, Salón Dorado
S. 20 Avenida de Mayo, im Hintergrund der Nationalkongreß.
S. 21 Regierungssitz Casa Rosada und Pyramide auf der Plaza de Mayo
S. 22 Weitere Stadtansichten: a) Altes Haus im Stadtteil Palermo Viejo. b) Hinterhof eines Miethauses in Palermo Viejo. c) Kloster Santa Casa de Ejercicios Espirituales in Monserrat. d) Carlos Pellegrini-Platz. e) Alter Lebensmittelmarkt in Balvanera. f) Hochhäuser in Catalinas Norte.
S. 23 Park 3 de Febrero in Palermo: blühende Jacaranda-Bäume am Rosengarten.
S. 24 Tangotänzer Alicia Orlando und Claudio Barneix in San Telmo.
S. 25 Andere Stadtansichten: a) Straße Caminito im Stadtteil La Boca. b) Straßenecke in Balvanera, dem Lebensmittelmark Abasto gegenüber. c) "Der Frühling", Marmorskulptur von Lucio Correa Morales, und Parkfotograf im Botanischen Garten, Palermo. d) Typische Häuser an der Caminito-Straße in La Boca. e) Allee im Park Lezama. San Telmo. f) Polospiel.

Provinz FEUERLAND, ANTARKTIS und INSELN DER SÜDATLANTIK

S. 26 Cap Buen Suceso auf der Halbinsel Mitre
S. 27 Im extremen Süden: a) Staateninsel. b) Stadtansicht von Ushuaia, Hauptstadt von Feuerland.
S. 28 Die ersten Nachtlichter in Ushuaia.
S. 29 Die Stadt Ushuaia.
S. 30-31. Lapataia im Feuerland-Nationalpark.
S. 32 Laguna Verde (sog. grüner See) in Lapataia. Feuerland-Nationalpark.
S. 33 Nationalpark im Schnee.
S. 34 "Lenga"-Wälder (eichenähnliche Bäume).
S. 35 Torfgruben.
S. 36 Auf dem Weg zum See Fagnano. Sägewerk.
S. 37 See Fagnano.
S. 38-39 Ansicht der Hochebene mit Hartgrasgesträuch.
S. 40. Schuppen zur Schafschur auf der Schafzucht-Estanzia María Behety. Río Grande.
S. 41 Schafschur
S. 42-43 Austrocknen der Häute am Drahtgeflecht.
S. 44 Ansichten der Estanzia María Behety: a) Villa María. b) Wohnungen. c) Bäckerei. d) Ziegelei.
S. 45 Arbeiterbaracke.

Provinz TUCUMAN

S. 46 Denkmal an Juan Bautista Alberdi von Lola Mora in San Miguel de Tucumán, Hauptstadt der Provinz.
S. 47. Ansichten der Stadt San Miguel de Tucumán: a) Haus der Unabhängigkeit. b) Brunnen und "Estrella Federal"-Blume im Innenhof des Hauses der Unabhängigkeit. c) Galerie des Klosters von San Francisco. d) Hof mit Brunnen in einem Familienhaus im Südbezirk.
S. 48 Andere Ansichten der Stadt San Miguel de Tucumán: a) Zuckerrohr. b) Haus des Bischofs Colombres im Park 9 de Julio; blühende Lapacho-Bäume.
S. 49 Zuckerrohrplantage.
S. 50 Auf dem Weg durch die Provinz Tucumán: a) terrassenartige Bauten der Quilmes-Indios in Quilmes. b) Kapelle in Villa Nougués. c) Estanzia "El Churqui" in Tafí del Valle. d) Menhiren-Park in El Mollar.
S. 51 Museum "Casa Pardella": Gitterwerk in einem Innenhof in San Miguel de Tucumán, Hauptstadt der Provinz.

Provinz SAN LUIS

S. 52 Ziegen in Carpintería; im Hintergrund die Comechingones-Hügel.
S. 53 Der Benitez-Bach bei Cortaderas.

PARTICIPARON EN LA REALIZACION DE ESTE LIBRO:

Aldo Sessa: Dirección del proyecto.

Carolina Sessa: Diseño gráfico, *Estudio Aldo Sessa*.
Carlos A. Silva: Producción gráfica, *Estudio Aldo Sessa*.
Damián A. Hernández: Edición fotográfica, *Estudio Aldo Sessa*.
Jorge D. Granados: Archivo, *Estudio Aldo Sessa*.
Raúl Gigante: Laboratorio, *Estudio Aldo Sessa*.
Marcos Bongarrá: Secretaría, *Estudio Aldo Sessa*.

Luis Sessa: Dirección Ejecutiva, *Sessa Editores*.
Marta L. Girolli: Gerencia Comercial, *Sessa Editores*.
Jorge de la Fuente: Finanzas y Control, *Sessa Editores*.
Ruben Romero: Contaduría, *Sessa Editores*.
Rodrigo Bermúdez: Secretaría, *Sessa Editores*.
Pablo Gomez: Secretaría, *Sessa Editores*.

Lisl Steiner: Liaison en EE. UU.

Miguel de Torre Borges: Cuidado de la edición.
Guillermo Turco Greco: Cartografía.
Susan Rogers: Traducción al Inglés.
Lelia Wistak: Traducción al Portugués.
Diana Sukiassian: Traducción al Francés.
Norman Eduardo Pickholz: Traducción al Alemán.

Todas las fotografías que ilustran este libro forman parte del archivo de
ALDO SESSA PHOTO STOCK ARGENTINA
Av. Corrientes 880, 8º Piso, Buenos Aires (1043), República Argentina.
Tels.: (0541) 393-9126 / 9142 / 393-0168; Fax.: (0541) 393-2221.
E-mail: urano@compunet.com.ar

Esta edición de ARGENTINA, una aventura fotográfica, con fotografías de Aldo Sessa,
se terminó de imprimir el 20 de Junio de 1998 en Singapur.